失敗を語ろう。

「わからないことだらけ」を
突き進んだ僕らが
学んだこと

マネーフォワードCEO
辻庸介

日経BP

はじめに

「失敗」を語ろう。

僕は社長らしい社長じゃない。

みんなの上に立って、強い言葉で号令をかけ、パワーで引っ張れるタイプでは全然ない。

むしろ、弱い。とても弱い。いつも誰かに助けを求めている。社員たちも「その通りです」と、僕の頼りなさに太鼓判（？）を押してくれるはずだ。

昔からそうだった。大学受験では一浪してしまい、翌年も前期試験は不合格で、二浪直前でなんとか後期試験で引っかかった。入学してからも留年してしまった。

大学時代のサークルではキャプテンをやっていたが、副キャプテンから、「お前を見ていると本気で助けないとダメだと思う。穴だらけで隙だらけだから、ついお前のために動いてしまう。ズルい」

としょっちゅう文句を言われていた。頼りなさすぎるリーダーだ。

頭の出来は良くないし、見てくれにもコンプレックスはあるし、「自分は完璧とは程遠い。だから人の手を借りなければ生きていけない」という前提で生きてきた。「未熟で不完全な自分」をいつも自覚している。

もともとが不完全で自分への期待値は非常に低いので、僕は失敗してもあまり気にならなかった。

失敗をネガティブなものだとも思っていない。失敗は次に起こすべき行動を知る〝学びのチャンス〟であって、チャレンジし続ける限り、失敗だと確定しないはず。むしろ、失敗経験は挑戦者であることの証で、失敗した自分を誇るべきだと本気で思っているからだ。

実際、僕は失敗しても落ち込むのは一瞬で、立ち直りは早い。

「辻さんって本当にめげないですね」

と社員から呆れられるほどポジティブだ。成功するまでやり続ければ、致命的な失敗にはならないと、心の底から思っている。自分だけにそう思うのではなく、志を持って前に進んで失敗したならば、誰にだって、

「ナイスチャレンジ！　次に生かしていこう！」

と伝えたい。

ＢＡＮ、訴訟、サービス断念……

何者でもない弱い僕でも、「お金の課題を解決したい」という思いを持って起業し、素晴らしい仲間と出会い、これまでになかったプロダクトを生み出せた。まだまだ道の途上ではあるが、グループで働く総メンバーは９００人を超え、世の中をちょっとは前に進められた気持ちでいる。

でもその過程で僕らは、スタートアップを立ち上げ、時につまずき、転び、会社がつぶれるんじゃないかという失敗を数多く経験した。サービスが接続先からＢＡＮ（接続拒絶）されたり、データセンター一帯の大停電で大事なユーザー（お客様）のデータが吹っ飛びそうになったり、共に社会を変えていく仲間だと思っていた競合スタートアップに訴えられたり、60名の社員を迎えて立ち上げようとしたサービスは参入を無期限の延期にせざるを得なかったり、改善のつもりでリニューアルしたサービスをたった1日で撤回したりした。

人前で転ぶのは恥ずかしいかもしれない。しかし、だからこそ手を差し伸べてくれる人にも出会える。知恵を授かり、また一つ、歩き方を学べるのだ。

僕をここまで導いてくれたかけがえのないもの。それは「仲間」だ。マネーフォワードの強みは何かと聞かれたら、迷わず「人」と「仲間が生み出す文化」だと即答する。僕の強みは、自分の弱さを補ってくれる仲間を集められることだ（そんな理由から、この本にもたくさんの仲間が登場する。本書に登場する主な人物は242ページを参照）。

この9年間を振り返っても、紙一重のギリギリの決断や幸運で命拾いをした経験が山とある。「これだ！」と思ったプロダクト（サービス）がほとんど使われずに肩を落としたことも幾度となくあった。きっとこれからもたくさんある。

もしも万が一、致命的な大失敗をしてしまって会社が解散するような事態に陥ったとしても、「この仲間と失敗したんだったら、諦めがつく」――そう信じられるだけのプロフェッショナルな仲間が、僕と一緒に働いてくれている。

マネーフォワードも、一人の仲間との出会いから始まった。スタートアップの創業というと、希望に満ちてキラキラとしたスマートな立ち上がりを想像されるかもしれないが、僕たちの場合は〝思い〟だけが先行していて、とても稚拙で泥臭いものだった。

失敗だらけから始まった、僕たちの創業の物語から話していこう。

目次

Contents

Chapter 1

違和感、怒り、焦り、そして起業へ

「あー、今日も電話は鳴らんかったなぁ」

よどみかけた空気をかき回すように、僕はわざと声を明るく張り上げた。

「独り言が大きいですよ、辻さん」

と乾いた笑いで返したのは、2メートル先に座る瀧《たき》俊雄だった。2カ月前に、高田馬場にあるワンルームマンションを一緒に借りた「創業メンバー」の一人だ。

小声でも十分に四方に届く、10・5坪の広さの部屋に僕たちはいた。ここは、2012年5月に借りた、マネーフォワードの第1号オフィス。エアコン代をケチって窓を開け風を通していたが、そろそろ蝉《せみ》の音がうるさくなってきた。このあたりは下水管の具合が良くないようで、夕方になると臭《にお》ってくるからたまらない。

パソコンに張り付いている「開発チーム」(といっても、たった4人だが)は、カタカタとパソコンに向かい、〝プロダクト第1号〟の開発に忙しい。社長の僕は、つくりたいプロダクトのスケッチをしながら、焦るばかりだった。

意を決して会社を辞め、起業をしたときには、その直後からドラマティックな何かが起きると思っていた。

しかし、現実はそうではなかった。びっくりするくらい、〝何も起こらなかった〟。

世の中の誰も、僕たちのことを知らない。

誰にも期待されていない。注文の電話もなければ、クレームさえもない。電話が鳴るとしたら、セールスくらいのもの。

やがて僕は気づいた。〝何もしなければ、何も起こらない〟。

待っていても何も始まらない。当たり前なのだが、これは強烈な気づきだった。

そしてある日、決めた。とにかくバッターボックスに立つぞ、と。

バットを振らない限り、ヒットは生まれない。空振りでもいいから、バットを振ろう。ヒットを生むには、まず打席に立つ。その前に「打席」をつくらなければならないのだ。

1日を忙しくするだけの仕事を自分でつくると、僕は決めた。とにかく1日18時間働くと決めた。

どんな機能が必要で、ユーザーに対してどんなUX（ユーザーエクスペリエンス）を提供すればいいのか？　どんなに考えたって答えは見つからないし、時間も足りない。さらに、お金が全然ないので、投資家にアポを取って訪問し、説明して資金を集めなければならない。

積極的に参加すると決めたのは「ビジコン」だ。事業モデルをプレゼンするビジネスコンテストの情報を探し出しては出場した。

まだ実績のない事業やサービスの計画を、人前でプレゼンするのには勇気がいる。たいていは、「足りない部分」を指摘されて、たいそうへこむ。準備をしてコンテストに出ても、なかなか優勝できない時期は続いた。審査員から厳しいツッコミが集中したり、正直、しんどい思いもした。

しんどかったが、出場しないよりはずっとマシだった。なぜなら負けても必ず学びがあるからだ。打席に立つと、必ず何らかのフィードバックが得られる。

一時の成功か失敗かではなく、学びがあるということが、僕にとっては重要だった。

思えば、この頃だったかもしれない。

僕の「失敗することは恥ずかしくない」という耐性が、どんどん高まっていったのは。傷つくことを恐れて何も行動しないより、転びながらでも、たとえ一歩でも足を動かしたほうが、事態は前に進む上、事業をやっていくための筋力がつく。決して根性論ではなく、ベンチャーが生き抜くための合理的な選択として、僕は「失敗」に対して前向きになっていった。

さて、あらためて僕の起業の動機について話しておこう。

起業の動機は「強烈な憤り」だった

なぜ、起業したのか。

僕がマネーフォワードという会社をつくった動機を一言で表すなら、「強烈な憤り」なのだと思う。

このままの日本でいいわけがない、閉塞感のある社会をなんとか変えたい――そんな使命感が僕を起業に駆り立てた。

何か一つの決定的な転機があったというより、そこに至るまでのさまざまな経験が不思議と結びつき、僕を起業という運命に導いた。

大学の農学部でバイオの研究をしていた僕は、ハタチくらいまでは漠然と、研究者の道に進もうかと考えていた。農学部の同級生のほとんどは、大学院に進んだり、会社の研究所に入ったりするので、それが普通だった。

気が変わったきっかけは、先輩が起業した塾を手伝ったこと。「研究よりビジネスのほうが面白そうだな」と好奇心を刺激され、大学院進学ではなく就職に方向転換をしたのだ。

幼い頃、大手電機メーカーの社長をしていた祖父の背中を見て育ち、子ども心にぼんやりと、「大きな組織を背負って生きるのって大変そうだけれど、かっこいいなぁ」と感じていたことも影響しているのかもしれない。

祖父は勤勉で謙虚で、忙しい合間を縫って本を読み、「人に感謝しなさい」が口癖だった。「十言って、一つでもやってもらったら、ありがたいと思いなさい」という言葉の意味も、組織をまとめる立場になった今、なおいっそう心に沁《し》みる。

大学卒業後は、ソニーに就職した。世界的に名の知られた会社で、影響力のあるプロジェクトに参加してみたい。グローバルに活躍できるビジネスパーソンになりたい。不勉強で、平凡な大学生が描きそうな青くて漠然とした志望動機で、運よく得られた入社チケットだった。

けれど、入社して早々に、僕の淡い夢は打ち砕かれた。

配属は経理部。おそらく、理系で数字に強いと思われたのだろう。ものづくりのビジネスをやるつもりで入ったメーカーで、僕は数字と格闘することになった。期待外れだったものの、自分には何の力もなく、すぐに転職したところで大した仕事ができるとは思えない。とにかく自分に力をつけなければと、石の上にも3年。簿記やCPA（公認会計士）など会計の基礎知識を勉強して、経理業務を頑張った。

今思えば、壮大なビジネスを支えるバックオフィスの役割について、その内側から体感するという貴重な経験だった。

同時に、紙ベースの経理業務特有のファイル地獄にうなされながら、「もっと効率的にできないのか」とストレスを溜めていた。これが一つ目の〝憤り〟だ。

より深刻な憤りは、大企業に対して抱いていた希望が徐々に失われていくことだった。誤解はしないでほしい。僕はソニーで出会った同僚や先輩、世界に誇るソニーブランドをゼロからつくった先人たちを心から尊敬している。どんな巨大企業でも、最初は熱い志から生まれたスタートアップなのだ。

けれど、組織が大きくなり、階層が何重にもなって巨大化するにつれ、意思決定のスピードは遅くなり、現場の声はかき消されていく。

ものづくりの現場や、世界各国の最前線で奮闘している同期たちの姿と、本社で議論している人たちの姿とのギャップに、僕は「同じゴールを目指すはずの仲間なのにどうして」と不満を募らせていた。どちらも一生懸命取り組んでいるはず。ただ、何かが決定的にずれている。「会社とはそういうものだ」と笑われるかもしれないが、僕は昔も今も、自分の違和感に対して嘘をつけない人間なのだ。

筋力を鍛えたマネックス出向、「英語ができない」留学時代

そんなとき、ビッグチャンスが訪れた。

「マネックス証券CEO室出向者募集」という社内公募だ。

ソニーとの共同出資で「マネックス証券」（当時）を立ち上げた松本大《おおき》さんは、ゴールドマン・サックスの最年少パートナーを辞して、日本の金融改革に挑んだイノベーター。規制緩和のタイミングを逃さず、「オンライン証券」という新たな海を切り拓いたファーストペンギンだ。その松本さんのそばで働くことは間違いなく自分を鍛える場になると、すぐに手を挙げた。「個人のために最良の金融機関をつくろう」という理念にも、100％共感できた。

実際に行ってみると、想像の何倍、何十倍も刺激的な毎日が待っていた。当時はまだ社員数十名の規模で、次々に新しい仕事が降ってきて、負荷をかけて筋トレを続けるような日々。エピソードを語り出すとキリがないのでここでは割愛するが、なんといっても、インターネットを使って金融の常識を変えていく最前線の躍動に立ち会えたことが最高の財産となった。

松本さんの高い要求に必死についていきながら、自分には経営の知識が圧倒的に足りないと思い知った僕が、次にとった行動は「ＭＢＡ留学」だった。

マネックスの第１号留学に手を挙げて、ＭＢＡ取得のためにアメリカのビジネススクール、ペンシルバニア大学ウォートン校に留学する決意をした。２００９年のことだ。

こうやって僕の経歴だけを並べると、いかにもエリートっぽいかもしれないが、実はこの時点で英語力はひどいレベルだった。最初の講義で、壇上で話されている言葉がまったく聴き取れず、隣に座っていた日本人に、

「前で喋《しゃべ》っているの、英語ですか？」

と思わず聞いてしまったほどだ。

それでもなんとか必死に食らいついて、卒業する頃にはクラス代表に選ばれるのだから、人間の可能性はわからない（ちなみに、成績は下から数えたほうが、はるかに早い。完全にキャラで選ばれただけである）。

努力次第で人は変われる。それを僕は体験的に知っているから、今も人の成長を信じられるのかもしれない。

もう一度、明るい日本を取り戻したい

留学によって日本を飛び出し、世界を間近に感じたことは、僕の視界を格段に広げた。そして、この時期に感じずにいられなかったのが、憤りに近い焦燥だった。

優秀で真面目で、熱い思いも持っている日本人が、日本のビジネスが、どうしてこんなに元気を失ってしまったのか。

僕は、自分が生まれ育った日本という国が大好きだ。これまで海外を旅したり暮らしたこともあるが、そのたびに「日本ほど豊かで多様性に満ちた文化を内包し、勤勉で思いやりのある国民性に恵まれた国は少ないのでは」という思いを強めてきた。そんな誇りのある国を、僕たちの父母や祖父母の世代は、一生懸命、築き上げてきたのだ。

その日本が急速に元気を失っていることに、僕は耐えられなかった。

社会全体を覆う閉塞感の原因は、一人ひとりの力が最大化されていないことだろう。将来に希望が持てず、ため息をつき、うつむいて、一歩を踏み出せない人が多すぎ

る。なんてもったいないのだろうと悔しかった。

対照的に、留学の際に訪れた上海は活気にあふれていた。市場に出てみると、ランニングシャツに短パン姿のおっちゃんたちが何やら楽しそうに喋りながら笑っていて、その表情から「明日は今日よりもっと良くなる」と信じ切っているパワーが伝わってきた。未来を信じることは、人をこんなに明るくするんだと、当時の日本の様子と比べて、驚いたことを今も覚えている。

このパワーを、日本にも取り戻したい！　僕は切実に感じた。でも、そのために僕が何をすべきかという答えは、まだ何も持ち合わせていなかった。

スーパーマンじゃなくても起業家になれる

「起業家になる」という選択肢が浮かぶようになったのは、ウォートン校の短期交換留学プログラムでイギリスに渡り、ロンドンビジネススクールに通った頃からだ。

受講したプログラムの中でも印象的だったのが、実在する起業家たちが創業期に直面したさまざまな壁を題材に、「その壁を乗り越える方法論」についてディスカッションするものだった。毎回、合理的に導き出せる〝正解〟を探して意見を戦わせるのだが、もちろん正解なんてない。

講義の最後にはいつも、起業家本人が登場して、現実にどう対応し、乗り越えてきたのかを語ってくれる。その話に毎回圧倒されていた。

僕の想像をはるかに超えるドロドロの人間臭い葛藤や、奇跡ともいえる運の導き、地道な試行錯誤の連続でようやくつかんだ成功といったドラマを、僕は固唾《かたず》を呑《の》んで聞いていた。学生たちで議論していた戦略なんて、成功の1％の要素にも満たない。周りから否定され、絶望的な状況を目の前にしたとしても、熱い思いを現実にすべく実行できるかどうか、つまり日々の連続的なチャレンジこそが成功の要因だ。そして思ったのだ。

起業家だって、ただの人間だ。

当たり前の事実なのだが、僕にとっては大きな気づきだった。「起業家」とは特別な才能を持った一握りの人種で、ずっと遠い存在だと思っていたのだ。

ほんの数メートル前に立ち、目を輝かせて体験談を語る生身の人間が、自分と地続きの存在であることを、僕は初めて実感できた。


はじめから起業を目標にしてMBAを取りにいったわけではなかったが、「僕も何かを始めるべきではないか」という気持ちがだんだんと膨らんでいっていた。

ウォートン校は伝統的に「社会に還元せよ」という教えを大事にしている。「ここで得た知識や経験を使って、あなたはどう社会に貢献していくのか？ どう社会を良くしていくのか？」と問う文化がある。その問いは僕にとってズシリと重いもので、その答えを見つけないといけないとずっと考えていた。


考えてみれば、僕は自分の能力には自信がなかったものの、環境にはとても恵まれた人間だった。

大学教育を受け、企業に就職した後も学びの機会を多く与えられ、会社の制度を使って世界有数のビジネススクールに在籍することもできた。最高の教育を受けられた幸運は、社会のために生かすべきだろう。

僕は、自分の人生の生かし方を〝見つけなければならない〟というプレッシャーを感じるようになっていた。

西海岸からのメール

そんなある日、僕のメールボックスに、「Toshio Taki」という見慣れない名前の日本人から一通のメールが届いた。後に一緒に起業することになる瀧だ。

開封すると、彼が野村證券の研究所に在籍し、家計行動や年金、金融機関のビジネスモデルを研究していること、僕と同時期にスタンフォード大学にMBA留学していること、そして金融とインターネットを掛け合わせた事業について相談できる相手を探していることが、短く書かれていた。幼少期に海外で暮らしていた瀧は、旧来的で変化に乏《とぼ》しい日本の金融業界を変えたいという使命感に燃えていたらしい。

彼自身は研究者でビジネス経験が浅かったことから、事業をつくれる仲間を探し、人づての紹介を重ねて、見ず知らずの僕にコンタクトを取ってきたのだ。

僕は少々面食らいながらも、彼の情熱の底に流れる「憤り」を直感的に感じ取り、共感していたのかもしれない。

最初の返信は「瀧さんのアイディアは面白いですね」くらいのそっけないものだったと思うが、すぐに返事が来た。瀧いわく、10人以上と話をしてきた中で、ポジティブな反応を示す相手は僕くらいだったらしい。以後、週に2、3回、スカイプで事業プランを練るやりとりが始まった。

瀧が当初描いていたのは、日本の国家財政が破綻しても家計を守れるように、誰でも資産運用ができる、今でいうところのロボアドバイザー的なサービスをつくろうというものだった。当時の僕の考えでは「それではビジネスとして立ち上がるまで時間がかかりすぎるので、今の環境下だとうまくいかないと思う」という意見だったのだが、「ならば何をしたらいいのか」というところまで踏み込んで、ディスカッションを重ねていた。

東海岸にいる僕と、西海岸にいる瀧と。アメリカ大陸を横断するスカイプ通信は4カ月ほど続いた。

瀧と話を続けることで、僕の中での〝宿題〟の答えがだんだんと輪郭《りんかく》を現すようになっていった。

「日本をもっと元気にしたい。そのために僕がやるべきことは？」という宿題だ。

社会のパワーの源は、その社会を構成する一人ひとりのパワーだ。そして、個人のパワーの源として重要なのが「お金」だ。

高度成長期には、個人のお金は銀行にさえ預ければ自然と増えていった。社会保険料や税金は給料から天引きされ、残ったお金は銀行に預ければいい。国民から集めた税金は、優秀な官僚が国策として鉄鋼や自動車といった重点分野に投資して、日本の競争力を生み出していった。いわば、人任せ、天任せで、多くの人が豊かになれた時代があった。

しかし、超低成長時代の今はそうじゃない。何が成長するかなんて、優秀な人間だってわからない。一人ひとりが自分のお金の主導権を持ち、やりたいことに挑戦できる人生を歩める社会へと変わらなければ、日本はどんどんしぼんでしまう。

そのためにまずやるべきは、個人が自分のお金についてちゃんと理解し、意思決定していく環境をつくること。その環境づくりこそが、僕のやるべきチャレンジではないか――。

そしてもう一つ、僕は、なぜか日本に蔓延《はびこ》る「お金は汚い、お金の話をすることは良くない」という価値観に、強烈な違和感を持っていた。

「お金」というのは、誰の人生においても、可能性を広げるための大事なものだ。お金が目的になって人を裏切ったり品性を汚すようなことはもっての外だが、生きていくためのツールとしては欠かせない。本来ならば、学校教育などで教えるべき事項だと思っている。なのに、なぜか大事にされていない。

この古い価値観をアップデートしたかった。そして、学校で教えられないのであれば、自分たちの提供するプロダクトでなんとかしたいと思っていた。

使っていれば自動的にお金のことが学べてお金が増えて、結果的に将来への不安が減り、人生の選択肢が広がる。そんなサービスをつくることができないだろうか――。

覚悟が固まったのは、2011年の春、2年間の留学生活を終えて日本に帰国する飛行機の中だった。

空を飛ぶ浮遊感は、感性を膨張させる。窓を流れる雲を見下ろしながら、「今まで僕は、多くの機会を与えてもらった。これからは〝受け取る側〟ではなく、〝与える側〟の人間になるぞ」と決意した。

尊敬する経営者の下で働き、世界最高峰の高等教育機関で経営を学ぶという、得難い成長の機会を僕は与えられてきた。与えられた者の使命は、次の世代に同じような、いやそれ以上のチャンスをつないでいくことだ。たまたまそのときに読んだマーク・ザッカーバーグ（Facebook創業者）のドキュメンタリー『フェイスブック　若き天才の野望』にも背中を押された。

このときアイディアが明確にあったわけではないが、お金に関する課題意識は僕の中で少しずつ核を成していた。

これまで閉じていたお金の情報をもっとオープンにしてお互いに交換して集合知にする。Facebookのマネー版みたいなサービスをつくれたらいいんじゃないか。読後の感動から芽生えてきたそんなアイディアの種をノートに書き殴って、飛行機の中、ひとりで興奮していた。

お金に関する不安を少しでも減らして、誰もが「今日より明日はもっと良くなる」と信じられる社会へ。

新しい社会の作り手に、自分はなってみせる。

このときの僕は、創業直後に待ち受ける失敗や挫折なんて予期することもなく、ただただ大きな夢を描いていた。

下り立った日本の風景は、見慣れてきたそれとはまるで違って見えた。

朝焼けはこんなに眩《まぶ》しかったのかと、思い切り息を吸い込んだ。

Chapter 2

プロダクト第1号は「望まれないサービス」

起業家ならずとも、モノやサービスをゼロからつくろうとした経験がある人なら、きっとわかってくれるだろう。

「こんなサービスがあったら絶対に便利だし、面白い」と信じて夢中で開発し、思い入れたっぷりのプロダクトがついに完成。「これを世に発表したら、みんなビックリするだろうなぁ！」と興奮がおさまらない。

「絶対売れるぞ。問い合わせが殺到してしまうかもしれない」と期待が無限に広がる。

しかし、いざリリースしてみると……。

無情にも世の反応は薄く、薄いどころかほとんど誰も使ってくれずに、そっとクローズする。名も知られぬまま埋没していったプロダクトは、ごまんとあるはずだ。

そして実は、何を隠そう僕たちも、やってしまった。

創業して最初に出したプロダクト1号は、1年以上を準備に費やしたのに、たった数カ月でクローズ。使ってくれたのは、やさしい友人たちだけだったという寂しい結果に終わってしまったのだ。

どんな失敗だったのか、僕が決心して動き出した後の話をしよう。

新規事業提案からのスタート

ＭＢＡ留学から帰国し、マネックス証券の席に戻った僕は、さっそく企画書を準備し始めた。テクノロジーの力でお金の課題を解決する新規事業の企画書だ。マネーフォワードは、はじめは社内の新規事業としてのスタートを目指したのだった。

ＣＥＯの松本さんも、僕の思いを汲《く》んで、何度も相談に乗ってくれた。

しかし、時はリーマンショックの直後。「今は新規に投資をするべきタイミングでない」というのが最終的な回答だった。

僕は僕で、マネックスという会社には恩があるし、できれば離れたくないほど思い入れがあった。「ならば辞めて起業します」と宣言するには、それなりの覚悟が必要だった。実際、僕が帰国してマネックスを退社するまで1年半という時間が必要だった。

「起業するときの一番のハードルは何だったか？」と聞かれたら、僕は「大好きな会社を辞めたこと」と答えるだろう。

その間、瀧は瀧で前に進んでいた。

僕たち二人が出会ったのは２０１０年の年末で、どんなサービスが世の中にあればいいのか、と議論を重ねていたのが２０１１年の６月頃。この間に、東日本大震災が発生している。

未曾有《みぞう》の災害に社会は混乱し、行き場をなくしたエネルギーが至るところに漂っていた。閉塞感という雲が頭の上に立ち込めて、日に日に厚みを増すのを感じるほどに、僕は「こんなときこそ、世の中を明るくできるようなサービスをつくりたい。挑戦する道を選びたい」という思いを強めていた。

瀧は、３月半ばには日本に一時帰国して、日本国内でスタンフォードの学生のジャパントレック（修学旅行）を実施する予定だったそうだが、震災の影響でオールキャンセルに。「手元に残った航空チケットと、突如生まれたスケジュールの空白」を起業準備のために使おうと頭を切り替えた。

事業内容の構想はまだ曖昧《あいまい》だったが、インターネットを使ったお金に関するサービスにすることは決まっていた。つまり、優秀なエンジニアが必要になることは明白だった。

「辻さん、会っておくべきエンジニアの連絡先を片っ端から教えてください」

そう頼まれた僕は、思いつく限りの名前と連絡先を渡した。瀧はその全員と約束を取り付け、起業の構想を熱心に伝えてきたそうだ。

僕が瀧に渡したリストの顔ぶれは、ソニー時代の同期やかつてマネックスで一緒に働いたことのある元同僚（「現役のマネックス社員には声をかけない」というルールを固く自分自身に課していた）など、みんな僕の直接の知り合いだった。

ときどき、「友達とは起業するな」という主張を見かけるのだが、僕からするとずいぶんと優雅な発想だと感じる。実績どころか形も名前すらないスタートアップを一緒に始める仲間は、昔から人柄や仕事ぶりを知っている人でなければうまくいかない。ちょっとの判断ミスで沈没するリスクがある小舟には、全幅の信頼を置ける仲間、本当に背中を預けられる仲間しか乗せることはできない。少なくとも、僕はそういう感覚だった。

だから、最初から仲間選びには一切の妥協はしなかった。人として信頼できて能力も高く、しかも一緒にいてワクワクできる人じゃないと誘わないと決めていた。

実際、この点にこだわったことは大正解だったと思っている。なぜなら、創業間もない会社の命運を左右するのは、創業メンバーのレベルだからだ。創業メンバーの能力や人間としての器が、その会社が初期にどこまで到達できるかを決める。「このメンバーなら絶対に勝てる」と確信を持てる仲間を集められるまで、どんなに時間をかけてでも探すべきだと思う。

週末起業で〝本気の仲間〟が集まった

この頃に受けた貴重なアドバイスの一つが、ビズリーチ創業者（現ビジョナル社長）の南壮一郎さんからのものだった。

ビズリーチは、「プロフェッショナル人材が自らデータベースにキャリア情報を登録し、企業と求職者を直接つなぐキャリアプラットフォーム」という、転職のミスマッチ解消のための革新的な、ダイレクトリクルーティング・サービスを生み出した会社だ。インターネットの力によって、日本の低い労働生産性の課題解決に挑もうとする南さんの姿勢は、領域こそ違えど、僕たちが目指す姿と重なっていた。それで瀧が話を聞きにいったというわけだ。

当時はまだ小さかったビズリーチのオフィスを訪ねた瀧に、南さんは、

「MBAホルダーの二人の起業でしょ。絶対に失敗する。絶対にやめたほうがいい」

と繰り返したそうだ。MBAの理論で頭でっかちになっている僕らでは、泥臭いことを次々やらねばいけない起業では失敗するというわけだ。でも、瀧も僕もここで引き下がるつもりなんてなかった。すると南さんが言った。

「どうしてもチャレンジしたいなら、週末起業から始めて、定例ミーティングは毎週土曜朝に設定するといい。口では『協力するよ』と言っても、そのうち来なくなる人がほとんどだから、誰が本気かすぐわかる」

と。

僕と瀧は良くも悪くも素直な人間だ。

信頼できる人、リスペクトしている人から「こうしてみたらいい」と勧められると、とりあえずトライしてみることにしている。

実際に、土曜の朝9時から13時頃までの時間帯で定例ミーティングを設定することにした。場所は、最初は僕の自宅マンションに併設されていた共用施設の会議室。

「これだけインターネットが浸透しているのに、銀行の口座が24時間対応じゃないのは不便だ」「住宅ローンや生命保険を、もっと効率的に選べたらいいのに」「お金の不安が解消する資産運用のガイドがほしい」

そんな課題を色々な角度から議論しながら、事業プランを練っていった。議論を重ねてばかりいる僕たちに痺《しび》れを切らしたのだろう。週末起業に賛同して集まってくれていた仲間が一人、また一人と消えていく。僕も毎回、会議が始まるまでは「今日は誰も来てくれなかったらどうしよう」「このミーティング、今回が最後になってしまわないだろうか」と不安だった。

不安だったが、僕にとっては必要な時間だった。当時の僕は36歳。大きな挑戦をするなら、これが最初で最後かもしれないと感じていた。さまざまなものを捨ててまで始める覚悟を持てるほどのものなのか？　情熱が本物であるか、腹の底から納得できるか、共に走ってくれる仲間は本当にいるのか、慎重に確かめる必要があった。

最初の頃に顔を出してくれたのは、入れ代わり立ち代わりも多かったが合計すると15人くらいだっただろうか。毎週ミーティングを重ねるうちに、参加人数は徐々に絞られていった。参加者が減るたびに心細くなり、もうダメかなと思ったことも少なくない。

しかし、結果的にそれはいいことだった。なぜなら、残ったのは皆、〝本気〟の仲間だったからだ。僕の夢は、いつの間にかみんなの夢に変わっていった。

例えば、ソニー時代の同期だった都築貴之は、もともと、「プレイステーション」というゲーム機のソフトウェアを開発していたエンジニアだ。

どう考えてもソニーに残留するほうが安泰の道なのに、まだ何も形を成していないスタートアップに飛び込んでくれた。その動機について、

「人を楽しませるものづくりもいいが、人の役に立つものづくりに自分の人生を注ぎたいと思うようになったから」

と言っていた。

ソニー社員として申し込んだ時点では難なく通っていた住宅ローンが、マネーフォワードに移った途端、白紙になってしまったと聞いたときは、僕もショックだった。支払った数百万円もの頭金も戻ってこなかったと肩を落としていた都築。

僕は彼の人生を狂わせてしまっていないかと心配したが、都築の奥さんは、

「あなたの選択を応援する。3年は私の稼ぎで家計を支えるから頑張って」

と、むしろ背中を押してくれたらしい。彼と家族のために、絶対に成功してみせると僕たちは燃えた。

同じく、マネックス時代の元同僚だった市川貴志も、ずいぶん前から、

「辻さんが何か始めるときは、僕も手伝います」

と言ってくれていた。彼は「最終学歴は辻調理師専門学校」というユニークなバックグラウンドの持ち主。フランスのレストランで働いた後に一念発起してＩＴスキルを独学で習得し、マネックス証券にアルバイトとして入って結果を出し、正社員になった努力の人だ。

僕が声をかけたときは、マネックスを退職し、大手金融システム開発会社でインフラ部門の責任者を務めていた。高い専門性のみならず、自分の人生を切り拓いてきた彼の底知れぬ馬力を、僕は心から尊敬していた。

知り合いを集めるといっても、馴れ合いになっていいというわけではない。初期メンバーの中でもっとも年齢が高かった中平弘文は、僕にとって「厳しくて怖い人」だった。マネックス証券で市川の上司として働いていたことがある中平は、〝セキュリティの番人〟として持ち場に徹していた。

忘れもしない。僕がソニーからマネックスに出向したばかりの頃、マーケティングの顧客分析の目的で、

「システムのＨＴＭＬに１行だけタグを追加させてください」

と中平にお願いに行くと、

「嫌だ！」

と一蹴された。

「え、なんでダメなんですか」

と返すと、

「この1行を加えることで、システムのレスポンスが0・1秒でも遅くなったら、どうするんだ！　責任取れるのか？」

と真剣に怒られた。ユーザーに対する真摯な姿勢、提供価値にそこまでこだわるのかと驚いた。仕事を離れて飲みに行くと、気のいいおっちゃんだった。

その後、独立した中平に「ぜひ力を貸してください」とお願いしに行くと、

「俺なんてもう歳だし、そろそろ引退だよ」

なんて謙遜していたが、週に1回来てくれるようになり、やがて8番目の社員になってくれた。

信頼できる仲間が会議の「固定メンバー」となってくると、僕の思いも強くなって

いった。「ここまで準備ができたなら、もう始めるしかない」と意を決し、マネックスの松本さんに、

「会社を辞めて、起業の道を選ばせてほしい」

と話をした。

使い物にならなかった僕を育て、期待をかけて留学まで行かせてくれた松本さんのもとを離れることは、裏切りと思われても仕方がないことだった。

それに、正直、怖かった。長らく会社員として安定収入が約束された身分に慣れていた僕が、起業するには相当の勇気を要した。それでも「今、自分たちが始めなければ」という思いがついに勝った。


何度も話し合いを重ね、松本さんは僕を送り出してくれた。松本さんは、

「いいか、辻」

と僕の目をまっすぐに見据えてこう言った。

「お前はこれから会社を立ち上げる。確率論的にいうと、お前は失敗するだろう。あくまで確率論だが、会社はつぶれるかもしれない。しかし」

息を呑む僕に、松本さんは続けた。

「しかし、お前の人生は続く。それを忘れないようにしなさい」

今なら、この言葉の温かさがわかる。松本さんは経営の大先輩として、これ以上ない助言をくださった。

経営がうまくいかなくなったとしても、取り繕《つくろ》ったり、嘘をついたり、誰かを騙《だま》したりしてしまえば、人生そのものも終わる。人として恥ずかしくない生き方だけは守りなさい——。

最高の餞《はなむけ》だった。松本さんという生涯の師を得たことに感謝している。そして、迷惑をかけたはずのマネックスの先輩や同僚、後輩も快く送り出すばかりか、その後もずっと応援し続けていてくれることを心から感謝している。

高田馬場のワンルームマンションで起業

最終的に会社を登記する頃までに集まってくれたのは8人。そのうち、

「Ｗｉ－Ｆｉがつながりにくい環境はいい加減、もうやめようぜ」

とマンションの会議室を卒業し、高田馬場のワンルームマンションを借りた。記念すべきオフィス第1号だ。

高田馬場に決めたのは、合理的な計算の結果だった。メンバーのほとんどが普通に日中は仕事をしていて、稼働時間がそれぞれ違うので、「メンバーの稼働可能時間×自宅からの距離」を、エクセルで計算したのだ。

男だらけ8人入ればいっぱいのワンルームマンションで、朝から晩まで、プロダクトの設計のことばかり話し、手を動かしていた。

人数分のデスクを入れるスペースがなかったので、一つのデスクにモニターを2台置いたりしていて、

「デカい液晶を使わないでくださいよ」

と苦情が飛び交ったのも懐かしい。

議論にはホワイトボードが欠かせなかったが、お金もスペースもなかったので、シートタイプを買って壁に貼っていた。ただし、安物買いの銭失いとはよく言ったもので、このホワイトボードは数回書くと文字が消えなくなってしまい、途中からただのオブ

ジェと化した。

前述のように、そこは夏になると、夕方、とても窓を開けていられないくらい下水管が臭ってくる部屋だ。

「夕方に窓を閉めなくてもいいオフィスに早く移るのが目標だ！」

と励まし合った。

社長は一応僕だったが、席は一番手前の入り口に近い、トイレの真横に。「とにかくプロダクトをつくる時間が大事なので、エンジニアメンバーが集中できるように、エンジニアは奥の席に。コードを書く以外の雑用はエンジニアメンバー以外がやろう。社長の僕は、営業やら資金集めやら仲間集めやら、〝外交〟に時間を割きたいから、パッと外に出られるような場所がいい」。これも合理的判断だった。

営業道具として手元にあったのは、荒削りの事業計画書。

個人のマネーは、国のパワーの源だ。銀行に預けっぱなしで流動性が低いといわれ続けてきた個人資産を、もっとアクティブに動かすべきだ。そのためには、個人資産の情報の可視化、オープン化が必須だと、意見を一致させていた。

今もそうだが、僕たちは儲《もう》けよりも「ありたい姿」を追い求めていく。

「こんなプロダクトがあったら、日本はもっと元気になるぞ！」

「早くつくって、世間をあっと言わせたいなぁ」

仲間と議論しながらアイディアを練り上げていく日々は、純粋に楽しかった。

起業の思いを賭けたプロダクトで大失敗

記念すべき初代プロダクトは２０１２年春にリリースされた。

その名も「マネーブック」。

イメージしたのは「フェイスブックのマネー版」のようなもので、個人が自分の資産でどんな金融商品を買ったり、投資したりしているのかを知り合い限定で公開し、ネットワークを広げていくという、今思えばなかなか刺激的なサービスだった。

名前はニックネームで登録できるが、知り合いからつながるネットワークだから、お互いに誰かはだいたいわかる。

「社会的に活躍している人が、どんな資産管理をしているのか知りたい」という好奇心に応えるもので、原型としてKaChing（現Wealthfront）というアメリカのスタートアップの事例があった。「他人の資産運用を参考にしながら家計管理をしよう」という発想で生まれたソーシャルトレーディングのサービスは、アメリカでは受け入れられて、有名なエンジェル投資家から資金を集めていたのだ。

加えて、「マネーリテラシーについて学べる教育の機会が足りていない」という課題も各所で見聞きし、なんとかしたいという思いがあった。

人生の質を左右するお金の教育はぜひ受けたい。しかし、時間もお金もかかるし、多忙な社会人はなかなか行動には至らない。この問題を、テクノロジーの力で解消できればいい。一つのアプローチとして、「家計管理や資産運用の上級者の〝お金の内訳〟を見ながら成功則を勉強する」というサービス提供をすることに意味はあるのではないか？　そんな狙いも、この「マネーブック」にはあった。

ネックは情報を守るセキュリティの問題だったが、もちろん可能な限りの対策はとっていた。

「家計や資産を見せ合うことに抵抗はないだろうか?」という疑問も容易に浮かぶはずだが、創業時特有の気分の盛り上がりの中ではすべての解釈は楽観に傾くもので、「日本は裸を見せ合う温泉文化があるのだから、資産を見せ合うのもきっと平気だよな」

なんて言い合っていた。

結果は、――惨敗。

恐ろしいことに、僕らはいきなり誰も使ってくれないサービスをつくってしまった。いや、「誰も」というのはさすがに言いすぎで、こんなアバンギャルドなサービスを触って楽しんでくれたユーザーもいた。

しかし、その大半は僕ら創業メンバーの友達とその友達。ご祝儀の範囲を超えない人数で、50人にも満たなかった。

ユーザーが増えない原因が「ここが使いにくい」といった解消可能な不便であれば、改善さえすればいいのだから希望は持てた。

けれど、このときに僕たちがつかんだユーザーのリアクションはどれも、「使うのが不安」「すぐに退会したい。データを消して」といった利用自体に積極的になれないニュアンスを含んでいた。

家族を説得してジョインしてくれた都築も、その家族が使おうとしてくれないのだと苦笑いをしていた。

今思えば、「マネーブック」は一部のマネーリテラシーの高い、新しもの好きの好奇心は確かに満たしたかもしれないが、みんなが抱える課題を解決できるプロダクトでは全くなかった。

リリースから2、3カ月経って、やめる決断をした。

滅多にないが、当時の顔ぶれで当時を振り返ることがある。中には、「時代が追いついていなかっただけ。今なら受け入れられるかもしれないぞ」と〝復活〟の希望を捨てていないメンバーもいるが、さて、どうだろうか。

半年以上かけて準備した初代プロダクト、しかも人生を賭けて、わざわざみんなに好きだった会社を辞めてもらってまでチャレンジしたプロダクトが全くの空振りに終わったことは、ショックだった。残ったのは、これからどうすればいいんだろうという不安だけ。

けれど、今振り返ればだが、これは僕らにとって必要なつまずきだった。マネーブックの失敗がなければ、今のようにUser Focus（ユーザーフォーカス）をとことん突き詰める会社にはなれなかったと思う。シリコンバレーでよくいわれる「Fail fast」（早く失敗しろ）のお手本のような経験ができた。というのは、楽観すぎるだろうか。

思いが強い起業家ほど陥りがちなのかもしれないが、世に出ては消えていくプロダクトのほとんどが、「開発者目線」「提供者目線」に偏りすぎている。「こういうサービスがあったら、きっと喜んでくれるだろう！」という理想が先走りすぎて、ユーザーが見えなくなっているのだ。

「ユーザーのために」と言いながら、実はユーザーを見ていない。そんなズレが大きな失敗につながるという痛烈な学びを、僕たちはいきなり体験したのだった。

どうしたら使ってもらえるのか

マネーブックの失敗を通じて、僕らは切実な渇望を感じていた。

「ユーザーに使ってもらえるサービスをつくりたい」

作り手の独りよがりではなく、使い手に「あって良かった」と思わせるサービスをつくりたい。つくってみせる。

起業してすぐに経験した強烈な失敗体験が、僕たちの結束を一気に強めた。

すでに全員が退路を断ってマネーフォワードの一員になっていて、何かを生み出すしか道はなかった。

売り上げゼロが続くのだから、焦りしかない。しかも、進むべき方向がわからず、正直、頭を抱えていた。どうしたらいいのか？　どんなサービスならユーザーに喜んで使ってもらえるのか？　仲間と何度も議論を重ねた。

自分のお金についての情報を他人に知られていいと思う人は、あまりいない。一方で、自分のお金の情報を、自分自身で正しく把握したいというニーズはやはり大きい。これが、このときの僕たちの結論だ。

毎日の生活で生じる支出や預貯金、運用している資産など、お金のフローとストックの全体像を把握できれば、お金の不安が軽減したり、やりたいことにチャレンジできたり、個人の人生を前向きに支えられる。

それは僕たちが一番やりたいことだったし、そこには可能性があると確信できた。まずは、家計・資産管理に特化したアプリの開発に集中しようと、次の方針は決まった。

プロダクト第1号の頓挫からすばやくピボットし、半年後の2012年12月には「マネーフォワード ME」（当時の名称は「マネーフォワード」）のβ版をリリースできたことは、我ながら切り替えが早かったと思う。

アカウントアグリゲーションを自前で

個人が自分のお金の情報を簡単に把握し、理想の未来に向けてチャレンジしやすくなる社会へ。その変化を加速するサービスの展望も描けていた。

僕たちは、当時の日本では片手で数えられるくらいしかいなかっただろう「アカウントアグリゲーションエンジン」をつくれるエンジニア、浅野千尋を迎えていた。

アカウントアグリゲーションとは、インターネット上にある金融機関などの口座情報を、一つのスクリーンに集約して表示できるサービスのこと。A銀行、B銀行、C証券、D社のクレジットカード、E社のクレジットカード、電子マネーF、電子マネーG……現代人はとにかく財布の種類が多い。そのすべてのお金の流れを1カ所で把握できると、使いすぎによる家計危機の防止にもなり、将来の人生設計も立てやすくなる。忙しい現代人の生活の無駄を省き、生産性を高めてくれるはずだ。

しかし、言うは易しで、その実現には高度な技術を要した。すでにアカウントアグリゲーションエンジンを提供している他社に委託すると、初期費用だけで数千万円、下手をすると数億円かかる。

浅野はそれを、すごいスピードで自社開発できる稀有《けう》なエンジニアだった。ある友人は、

「アカウントアグリゲーションを自前でやる。これがロックなやり方ですよ」

と背中を押してくれた。

浅野を筆頭にエンジニアたちは1日中、狭い部屋にこもってひたすらコードを書き続ける。

僕は、サービスはどうあるべきか、どうすれば使ってもらえるのかと、その仕様やUI（ユーザーインターフェース）／UXのアイディアを紙に書き出しては、「ああでもない、こうでもない」と、ひたすら悩んでいた。

瀧は、契約書のチェック、登記作業、経理など、バックオフィス関連の仕事をしていた。

家計簿の「自動仕訳機能」のアルゴリズムをつくり始めたのも、この頃だった。「ファ

ミリーマート」と入力すれば「コンビニ」、「スターバックス」と入力すれば「カフェ」と自動で文字が反映されるような辞書機能を活用したもので、瀧がなんと手作業で10万通りものパターンを作成した（社内では「瀧辞書」と呼ばれている）。

僕たちのサービスは、少しずつだけど着実に、形になっていっていた。

問題は〝どう稼ぐか〟だった。

当時は広告モデルを想定していたので、売り上げを上げるには広告主を探さないといけなかった。プロダクトはまだ完成していないというのに、パワーポイントの資料を見せて、

「こういう家計簿サービスをつくります。広告を出してくれませんか」

と頭を下げて回った。

反応は、〝超〟がつくほど渋かった。

「家計簿なんて、1カ月に1回見るものでしょ？　広告を出す意味はあまりないな〜」

そう思われるのも仕方がない。だが、僕たちは家計簿を見る頻度自体を増やすサー

ビスを考えていたのだ。

しかし、〝見たことがないもの〟にお金を払ってくれる人は滅多にいない。世の中の大半の人は、〝見たことがあるもの〟に対して理解を示し、選択肢に入れる。聞いたことがない、見たことがないものに対して、人はとても臆病だ。

僕たちはこの問題にいまだに向き合い続けている。

自分たちにしかつくれない価値を

すでに人気を集めているサービスを少し改良して後からリリースするほうが、ずっと簡単だし、確実にユーザーは集まるだろう。

しかし、すでに誰かが提供している価値を、わざわざ自分たちが提供する意味はないと思っている。パイを取り合うことにもあまり興味はない。

僕たちは、新しい価値をつくりたいのだ。誰も見たことがないけれど、誰もが幸せになる価値を。

最初は見向きもされない。無視され、否定される連続だ。正直、ツラい。ツラいから、途中でやめてしまう人がほとんどなのかもしれない。当時の僕も、ちょっと弱気になるときがあった。

あの頃の自分に声をかけるとしたら、僕は「逃げるな」と言いたい。最初からユーザーがつかないのは当たり前なのだ。だから、挑戦しているんじゃないか。

「多くの人から求められない」というツラい事実から目を背け続けていては、いつまで経っても前進できない。オリジナルのものは生み出せない。

前に進むことだけに集中して生まれた「マネーフォワード ME」は、リリース直後から改良に改良を重ね、トライ&エラーの繰り返しで今に至る。

やってみて、よく外して、当たったらみんなで喜んで。ワンルームマンション時代から今に至るまで、僕たちはひたすらプロダクトをつくって、一喜一憂している。よく、飽きもせず同じことをずっとやっているなぁとあらためて感じている。

今は大成功を収めている起業家たちの中にも、メガヒットを生む前には「そっと閉じる」失敗を経験したという人は意外と多い。

というより、その失敗経験があったからこそ、早期に軌道修正がなされ、ユーザーに支持されるプロダクトが生まれたのだろう。僕はそう考えるから、盛大にコケながらも、すぐに起き上がって前に進むことができた。

これを読んでいるあなたはどうだろうか。結果が出ずに「せっかく頑張ったのに、全然うまくいかなかった」と落ち込むときもあるかもしれない。周りの視線がツラく感じるときだってあるだろう。

僕が自分の経験から伝えられるとしたら、「失敗はまだ確定していない」と発想してほしいということ。失敗したまま終わったら、これ以上は望めない。でも、諦めずに続けて、〝失敗を経験した者にしかつくれないもの〟を次に生み出せたとしたら?

そんな物語の主人公になるほうを、僕は選びたい。

Chapter 3

ユーザーはどこにいる!?

新しいサービスがこの世に生まれ、存在するための絶対条件となるのが「ユーザー」だろう。

ユーザーの支持を得られないサービスは、短命に終わってしまう。

しかし、こんな失敗がよくあるのではないだろうか？

想定したユーザーに使ってもらえたけれど、すぐに離れていってしまって定着しない。

ユーザーはこんな機能を喜ぶはずだ、と思い込んで実装するも空回り。


僕らも思い当たる。

そのバケツに〝底〟はあるか

サービスづくりは、バケツをつくる作業に似ている。

本物のバケツをつくった経験はもちろんないのだが、こんなイメージだ。

新しいサービスをつくると、最初はもの珍しさからユーザーが少しは入ってくる。また、広告を打つなどのカンフル剤によって、ユーザーを招き寄せることも簡単だ。

ユーザーの流入を水の流れにたとえるなら、サービスというバケツに水が入ってくるイメージだ。水を入れるのは簡単。お金でも水は買える。本当に難しいのは、その先だ。

入ってきたユーザーに留まってもらう理由をつくれるかどうか。はじめは空いているバケツ（サービス）の底を、どう塞ぐことができるか？　つまり、継続的に使ってもらえるサービスをどうつくるか？　底が空いているバケツにいくら水を注いでも水は溜まらない。

では、「底が空いてないバケツ」をつくるためには、何が必要なのか？

それは、ユーザーにとって「nice to have=あったらいい」ではなく、「must have=なくてはならない」存在になること。「must have」のサービスにならないと、サービスはいずれ死ぬ。

では、どうしたら「must have」のサービスをつくることができるのか？

僕も正直、その問いに対して完璧な答えは持ち合わせていない。ただ、今までの経験を通じていえることがあるとすると、「徹底してユーザーの声を聴くこと」だ。

僕たちは、ユーザーからたくさん叱られながら、なんとかこのバケツの底を塞ごうと改善を繰り返してきた。

2013年1月、自動家計・資産管理サービス「マネーフォワードＭＥ」のアプリをリリースした直後にも、象徴的な事件が起きた。

先行のウェブ版（パソコンのブラウザに対応）には搭載していた手入力機能を、アプリ版では入れていなかったことにユーザーが怒ったのだ。手入力機能とは、「食料品」や「日用品」などのカテゴリ別に支出をユーザーが入力できる機能だ。「家計簿なのに手入力できないなんて、全然使えない！」と非難殺到。アプリストアの満足度を示す星は、最低ランクの「1つ」がずらりと並んだ。

「スマホの小さい画面で手入力したいと思う人はそんなにいないでしょ」と軽視したポイントが、実はユーザーにとっては重要だった。これは、ユーザーの声を聴いていたつもりだった僕たちが、まだまだだと実感した失敗だった。

慌ててエンジニアチームが改良し、3週間後には機能を搭載した。「ユーザーはきっとこう思うだろう」という安易な決めつけは、サービスづくりにおいては危険だ。提供者目線でつくられた数多くのサービスが、リリースはされたものの結局使われず、ひっそりとクローズされていく例を数多く見てきた僕にとって、それは本当に他人事ではない。

会えなくてもユーザーは見える

こうしたプロダクト開発にまつわる初期の失敗や「あわや話」を思い出すと、今でも冷や汗をかく。

僕たちはそのたび、危うくユーザーを失いそうになりながら、なんとか両手で穴を押さえて、「頑張るので、もう少し待ってください！」とつなぎ止めてきた。

繰り返しになるが、底が空いていないバケツになるには、徹底してユーザーの声を聴いて、ユーザーニーズを想像し、仮説を立て、その仮説をもとに機能をリリースして、ユーザーの反応をテストし、その反応を踏まえてまた改善し……の繰り返しを、圧倒的なスピード感を持ってやり続けるしかない。

「徹底して聴く」というのは誇張ではなく、創業期の僕たちは、ユーザーの利用をつぶさに分析しながら、本当にすさまじいスピードでサービス開発を行なっていた。ユーザーからの問い合わせのメールに10分後には返事をし、簡単な機能だとその日のうちにリリースするほどだった。

なぜそれができたかというと、非エンジニアの瀧にできる仕事が、当初は問い合わせメールのチェックと返信くらいしかなかったからなのだが、瀧は文字通り、パソコンの画面に張り付く毎日を送っていた。瀧は、ユーザーへの思いが人一倍強く、「初代カスタマーサポート（CS）担当」を自ら買って出てくれていた。そして、ユーザーの声をすぐに他のメンバーに共有し、サービス改善へとつなげてくれた。

今はフィンテック（Fintech、金融サービスとテクノロジーを掛け合わせたイノベーション）の専門家として登壇の機会も多い瀧が、創業後2年半にわたってCS業務を担当していたと言うと、驚く人は多い。

「僕も何かの役に立ちたかったんです。コードは書けないけど、パソコンのキーボードをパチパチ打てる仕事をやりたかった」

と瀧は笑うが、そばで見ていてもその仕事ぶりはストイックだった。

ユーザーの利用動向を観察し、ちょっとでも気になる変化があると、その原因を分析していた。僕も外出から戻ると瀧の席に行き、彼の「観察記録」を聞きながら一緒に画面を見つめていた。

「日曜日に、10時間もマネーフォワードを使ってくれているユーザーがいるようだ」

その日もユーザーのアクセス履歴を見ていた瀧がこう言い出し、その場にいたみんなに興奮が広がった。なぜ、そして何のために、そんなに長時間使ってくれているのか。なんとかしてユーザーの声を聴きたかったが、セキュリティ上、個人情報にはアクセスできないし、入出金履歴や資産状況も暗号化されていて確認できないようになっている。

そこで瀧は、「マネーフォワードをご利用いただいている皆様へ」とメッセージを打つことにした。「普段お使いいただく中で、ご不便はないですか？　ぜひご意見をお聞かせください」と投げかけたのだ。

それだけ長く触ってくださるのだから、「ここがイマイチだな」という不満はきっとどこかにある。その不満を聞き出すことで逆に「何を気に入ってもらっているのか」も浮かび上がってくるはずだ。

すると、メールはすぐに返ってきた。その内容から、そのユーザーは、あえて時間をかけて入出金の履歴を手入力していること、そして、どうやらその作業を楽しんでいることがわかった。「自動化こそがユーザーにとっての価値」と思い込んでいた僕たちにとって、衝撃だった。

居ても立ってもいられず、すぐに「貴重なご意見をありがとうございました。ちなみに、〇〇機能の使い勝手についてはいかがでしょうか？」と、こちらもすぐに返信したから、相手も驚いただろう。

まるで目の前にいるようなタイムラグのないコミュニケーション。そんな僕らの対応を嫌がる方じゃなかったことがありがたく、さらに何往復かのやりとりを重ねることができた。

ヘビーユーザーの心をつかんでいるポイントの一つが「手入力機能」であるという発見は、そのままエンジニアチームに伝達され、「手入力機能のストレス軽減」が開発の重点項目となった。

エンジニアの都築は、〝1秒入力〟を謳《うた》っていた他社のサービスを挙げて「うちは0・1秒を目指すぞ!」と燃えていた。リアルな一人のユーザーの声が聴こえていたから、迷わずその一点に注力できたのだと思う。

頻繁に利用してくれるヘビーユーザーはどんな機能を使っているのか? 途中で離脱するユーザーと継続するユーザーの違いはなんなのか?

そんなふうに観察を続けていると、サービスを継続的に使ってくれるユーザーには、銀行口座を登録している人が多い傾向なども見えてきた。

店舗販売や対面のコミュニケーションで顧客を獲得していくことが営業のメインとなる業態と違って、インターネットサービスは「ユーザーに直接会えない」場合が多い。結果、「会えないから、ニーズが見えない」という言い訳に陥りがちだ。

けれど、そうじゃない。「会えなくてもニーズは見える」。

ほぼ1日中、画面に張り付いていた瀧は、

「常時100人くらいのユーザーと会っているような感覚になる」

と言っていた。この域まで到達すると、知るはずもない顔まで浮かんでくるというのだ。

家族、恋人、友人、会社の仲間。「誰かのために」の〝誰か〟が明確であればあるほど、頑張れた。そんな経験はないだろうか？

画面越しに数字としてしか姿を見せないユーザーが、生身の人間に見えてくる。すると、「この人のために」という気持ちが湧いてくる。そして、「この人」が明確になればなるほど、ニーズやペイン（課題、痛み）をより鮮明に理解でき、「この人」に喜んでもらえるサービス、機能をつくれるようになっていく。

多くの人に使ってもらおうとして「N＝多数」のユーザーに受け入れられるサービスをつくりたいと思うのが自然だが、そのためにはかえって、「N＝1」のユーザーについての理解を深め、解像度を上げていくことが大事だと思う。

エンジニアに対して、「この機能の精度を上げてほしい。求めているユーザーがいるんだ」と自信を持って言えるようになるのだ。

行動にこそ本音が宿る

重要なのは、ユーザーの本音を聞き出すことだ。単純なアンケートでは本音はなかなか見えてこない。リアルな行動にこそ、ヒントがある。

ユーザーを数人招いてのグループインタビューを実施したときには、実際に「マネーフォワード ME」の画面を触っている様子を動画で撮らせてもらい、後で分析したりもした。

加えて、もともとユーザーだった中出匠哉がエンジニアとして入社してくれたことも、僕たちには大きかった。

中出は、ガラケーを使っていた頃から日常的な買い物をほぼ電子マネーに切り替えていたキャッシュレス派。まさにマネーフォワードが目指す世界像――テクノロジーの力でお金の課題を解決したい――を一緒につくれる仲間だった。

中出は、家計簿サービスの開発チームに加わると、ユーザーとして自分が欲しい機能を積極的に開発していた。

例えば、クレジットカードの利用明細を好きなときに見にいける機能。月に1回の利用の集計だけでなく、日々の利用残高を確認できるようになれば、使いすぎを未然に防げたり、より計画的な買い物ができるようになったりする。

もしかしたら、クレジットカード会社にとっては〝不都合〟な機能かもしれないが、ユーザーにとってのメリットは大きい。

「クレジットカードの利用履歴を知るのは月に1回まとめて、クレジットカード会社からの『お知らせ』が届くタイミングだけ」という習慣に、僕たち消費者側も慣れていたが、本来は自分のお金の利用状況はいつでも好きなときに見られるようにするべきだ。

もちろんこれまでもクレジットカード会社はユーザーから照会さえあればいつでも開示するのが基本姿勢だったが、その通路をより気軽に行き来できるものへと広げることに意味がある。

こういうふうに一つひとつ、個人がこれまでできなかったこと（やろうとしなかったこと）をテクノロジーの力で実現していける過程に立ち会えるのはワクワクした。

ユーザー出身の中出の意見を、僕も尊重していた。

つくづく、答えはユーザーが持っていると思う。

僕も瀧も直前までアメリカでＭＢＡ留学をしていたので、油断をするとつい「経営理論ではこうするのが正解」と、頭でっかちの〝理論頭〟や〝提供者目線〟に引っ張られることがある。

もちろんベースとなる知識は不可欠だが、リアルなビジネスで生まれる課題の答えは教科書には載っていない。ユーザーに向き合って、自分たちで探すしかない。

この道を進むことに決めた僕たちは、本当に必死だった――。

気づけば〝リモコン〟状態に

一方で、ユーザーの声を聴きすぎるのもよくない。

拾ってきたニーズのすべてに答えると、何が起きるか。

ご想像の通り、「機能盛りすぎ」という事態が発生する。

僕たちのアプリも、気づいたらメイン画面に並ぶボタンが20個くらいまで増え、まるでテレビのリモコン状態になってしまっていた。

これは完全に僕に責任がある失敗で、とにかくみんなに、

「どんどん開発しよう。大企業には出せないスピードでサービスをつくるんだ！　スピード！　スピード！　スピード！」

と言い続けていたことで起こった。生まれたての赤ん坊だった僕らが、お金も人も十分に持つ巨人たちに勝つには、「サービスをアップデートするスピード」しか武器がなかったのだ。しかしその結果、盛りすぎて使いづらいサービスになってしまったら逆効果だ。

実際に、こんなことがあった。

２０１４年のはじめ、ちょうど田町にオフィス移転をしたばかりのある日、僕はデロイト　トーマツ　ベンチャーサポート代表の斎藤祐馬さん主催の会合に参加していた。

そこで、ある男性が声をかけてくれた。聞けば、デザインコンサルティング会社を立ち上げたばかりだという。

「僕、『マネーフォワードME』のファンなんです! 何かご一緒させてください」

そこで、さっそくアプリについて意見をもらったところ、

「メニューがとにかく多すぎますね。できる限り機能を絞らないと、せっかくいいサービスでも誰も使ってくれなくなりますよ」

と鋭い指摘をくれた。

納得した僕は、社内のエンジニアチームに、

「ごめん。減らして」

と頭を下げた。つくる側からすると、鬼だ(ちなみに、僕に重要な助言をしてくれたこの社長は、今や上場会社となったグッドパッチ代表の土屋尚史さんである)。

昼夜を問わず時間をかけてせっかくつくった機能を「やっぱりナシにしよう」と判断する社長に、ブチ切れるエンジニアがいてもおかしくないはずだが……。みんな文

句を言わずに対応してくれた。

1000行、2000行と書いたコードを消すという作業を幾度となく受け入れてくれた都築は、

「たしかにツラかったですね」

と苦笑しながらも、

「でも楽しい気持ちのほうが大きかったですよ」

と言ってくれる、やさしいヤツだ。ユーザーへの目線をつねに持っていて、

「もっといいものをユーザーさんに届けるには必要な仕事でしたから。自分たちの手で社会を変えるプロダクトを生み出したい気持ちを仲間と共有できていた。ひたすらコードを書いては消すという試行錯誤の日々で、毎日会社に行くのが楽しかったですよ」

と語ってくれた。

クリスマスイブの夜、終電ギリギリまで閉じこもっていたオフィスを後にし、街でイチャつくカップルを横目に急ぎながら、

「絶対負けねーぞ！」

と妙に燃えて誓い合ったことも懐かしい。

プロダクト開発の両輪
――プロダクトマーケットフィットとマネタイズ

User Focus。

しつこいようだが、僕たちの体内に血液のように流れる、大事な思想だ。

ユーザーが求める価値を提供する。至ってシンプルな行動指針なのだが、これが本当に難しい。

いきなりつまずいた「マネーブック」や「マネーフォワード ME」のさまざまな試行錯誤だけじゃない。

これまで僕たちが、「必ず事業化できる!」と確信して始めて、クローズに至った事業はたくさんある。

Money Ask

mirai talk
マネーフォワード クラウド資金調達
マネーフォワード ビズアクセル
マネーフォワード クラウド消込
Tockpop
……

思い出すだけでも息苦しくなってくるが、真正面から反省と向き合うために、勇気を出して書き連ねてみた。

しかも、これは一部であり、全部ではない。

一つひとつの事業に、一生懸命取り組んでくれたチームメンバーがいた。いつも、〝やめる決断〟をするのは苦しい仕事だ。しかし、「やめる」という決断がいつでもできるという条件は、挑戦を促進する環境づくりには欠かせないものだと思っている。だから、始めたことそのものに後悔はない。何も始めずにチャンスを逃すリスクに比べたら、新規事業失敗の傷は、大したことはない。

大事なのは、失敗から学ぶこと。経験した者しか得られないラーニングを積み重ねていく姿勢だ。

僕たちも数々の事業撤退経験によって、ユーザーに喜ばれ、生き延びることができるプロダクトを生み出す条件がだんだんと見えてきた。

この条件には端的に言って、二つのポイントがあると思う。

一つは、プロダクトマーケットフィットに到達できるかどうか。いわゆる「ＰＭＦ」と呼ばれるものだが、「顧客を満足させる最適なプロダクトを、最適な市場に提供している状態」を意味する。

プロダクト開発は、ユーザーのペインの発見から始まる。そのペインを解消できる価値を提供したいという思いがなければ、ユーザーに届くサービスにはならない。

しかし、この思いだけではＰＭＦには到達しないのだ。

なぜなら、少し考えて思いつくようなサービスの99％は世の中ですでに提供されている。

加えて、提供者の思いが強すぎるゆえに〝思い込み〟に陥るケースはよくある。現状に強い課題意識を持ち、「こうあるべきだ」というパッションが熱いほどに、冷静な判断ができなくなってしまうのだ。結果、ターゲットの想定が微妙にズレていたり、ペインそのものの見立てが間違っていたりする。

熱い思いがなければ強いプロダクトは生まれないが、思いが熱すぎるゆえにＰＭＦに到達できないことがある。難しい問題だ。

先ほど連ねた僕たちの事業の大半も、ＰＭＦをクリアできないという理由で閉じざるを得なかった。

ＰＭＦをクリアしても安心は禁物。もう一つ越えるべき壁がある。「マネタイズ」だ。ユーザーが継続的に使ってくれそうなサービスをつくれたら、まずリリースしてみる。そしてユーザーの反応を見ながら、爆速でサービスの改善を続ける。一方で、マネタイズの手法を探っていく。

インターネットサービスにおけるマネタイズの手法は、大きく分けて、「何か（モノ、コンテンツ、広告）を売る」か「ユーザーの定額課金」の２パターン。どちらの場合も、どのくらいのユーザーが使ってくれれば黒字化するか、緻密な計算が必要になる。初期に開発コストがかさんだとしても、ユーザーが一定数を超えた時点で、一気に収益が急伸する。そのポイントはどこなのか。マネタイズポイントをどう設計するのかをひたすら考える。

マネタイズポイントを探り、確実性の高いグラフが描けた時点で「よし、行こう！」と投資を決めるのだが、実際にそれでうまくいくかはやってみないとわからない。すぐに結果は出ないから、3年、5年と耐える胆力も必要だ。

PMFとマネタイズ。この二つの〝順番〟も重要だ。

新しい事業を始めようとするときに、マネタイズの計画から議論をするのはほとんど意味がないと、個人的には思っている。

ユーザーが一人も見つかっていない状態で稼ぎ方の議論をするのは、時間の無駄だ。そんな暇があるなら、まずプロダクトづくりに全力で取り組んで、1分1秒でも早くPMFに到達すること。その次にマネタイズの精度を上げていくことが、長く受け入れられるプロダクトづくりの鉄則ではないだろうか。もちろん、プロダクトづくりの達人ともなれば、両方の要素を満たしてからスタートできるのかもしれない。しかし、Googleにしても、Facebookにしても、使われるサービスをつくるのが先で、マネタイズは後から手法を考え、実行していた。多くのユーザーに使われるサービスをつくることが、結局は大きな収益をあげることを可能にするわけだ。

数え切れないほどの傷を負いながらも、こうして獲得してきた独自の経験則は、僕たちにとって、何よりの宝だ。僕たちは数年前から、新規事業開発、新サービス開発の際に必要な仮説検証のプロセスを体系化した「マネーフォワードサービスデザイン」と「ユーザーフォーカス・スクラム」をまとめることにした。

これらは3年ほど前に一応の完成を見ている。ただし、完成することがゴールなのではない。大事なのは、この経験則をより効率的に生かすこと、そして社内のみんなで共有すること。そしてUser Focusのプロダクト開発を進めることだ。

熱い思いと、やめる勇気と

事業開発に関して、僕たちの典型的な失敗例を話しておこう。

どちらも社長の僕が肝煎りで始めた「Money Ask」と「mirai talk」の失敗経験だ。

「『マネーフォワードＭＥ』のユーザーが、お金についての悩みを、いつでもチャットで相談できるサービスがあったらいいんじゃないか？」

Money Askはそんな発案から始まった。いかにも良さそうではないだろうか。ユーザーのニーズは大きいし、うまくいくのでは？　と僕も期待していた。

サービスリリースと共に、ファイナンシャルプランナー（ＦＰ）の方々にわざわざオフィスまで来てもらい、ユーザーから寄せられるチャット相談に答えてもらう体制を整えた。

しかし、実際にやってみると、ニーズとのズレが徐々にあらわになったのだ。

そもそも、お金の相談は簡単に言語化できるものではない。

「どこか痛いところはないですか？」

「肩こりがひどいです」

と身体症状を問診するのと違って、お金の悩みは表面には見えづらく問題も非常に複雑だ。本当の悩みは何なのかを自分自身もきちんとわかっていないことも多く、人に説明するのはなおさら難しい。丁寧にヒアリングするコミュニケーションを要するのに、チャットという形式では不十分だった。

見事なまでにPMFに到達しなかった。ということで撤退。しかし、この話にはまだ続きがある。

諦めの悪い僕は、「チャットがダメなら、対面形式で徹底的に相談に乗る方法でやってみよう」と方向転換。次なる店舗型サービス「mirai talk」を始めた。「マネーフォワード ME」でお金の現状把握が簡単にできるようになったユーザーに、次はお金の改善ができるソリューションを、なんとしても提供したかった。

Money Askの反省から、今度は丁寧なコミュニケーションにこだわった。「お金のライザップ」と銘打って、ユーザーの悩みにとことん向き合うカウンセリングを提供した。新宿にオープンした店舗に経験豊富なFPが常駐し、ユーザーの相談を受ける。深刻なお金の悩みには、借金や離婚など人生の深い問題が絡むことも少なくなかった。

誰にも言えなかった悩みを打ち明けながらお金の不安を解消していけるサービスに、涙を流して喜んでくれるユーザーもいて、顧客満足度は社内史上最高のスコアに。半年で30万円ほどという高価格のサービスであるにもかかわらず、高い支持が実現した。


今度はPMFは完全にクリアできたといっていいだろう。だがこのサービスは、次なる壁、マネタイズでつまずいた。

質の高い人材を確保するための人件費や店舗運営の維持費がかさみ、ビジネスとして継続するのが難しいという最終判断になったのだ。

相談者に対して、高い手数料がもらえる金融商品を売って手数料をとるような稼ぎ方をすれば簡単だったのかもしれないが、僕たちの美学として、それはしたくなかった。ユーザーにとってあまり好ましくない特定の商品を売ることがゴールになると、ユーザーサイドに立つことはできないと判断したためだ。

愛用してくれているユーザーも定着しかけたところでのクローズは非常に悔しかったが、仕方のない決断だった。

社員にも「申し訳ない」と謝った。

僕は、謝ることが怖かった。

経営者としての未熟さを、組織の内側に露呈するのが怖かった。「情けない社長だ」と言われるんじゃないかと、不安だった。特に創業して数年の間は、過剰に強がろうとしていた。もともと失敗は恐れないタイプだったけれど、僕を信じて転職してくれた社員たちを思うと、情けない社長になってはいけないと構えてしまっていた。

けれど今は少し考えが変わった。まだ結果が出ていない時期であっても、間違ったら正直に謝るほうがいい。

なぜなら仲間たちも薄々気づいているはずだから。「きっと難しいだろうな」「社長はいつ判断するのかな」と、口には出さなくても、〝やめる勇気〟の発動を予感している。やめるという判断は、本当に難しい。今まで頑張ってくれてきた仲間たちの努力、ユーザーへの期待を考えると、やめるという判断は先延ばししたくなる。

だからこそリーダーが、「やめよう」という判断をし、みんなに自分の意思決定の未熟さを、経営者としての未熟さを謝らなければならない。

そしていざ、その勇気が発動されたときに、「ごめんなさい」と言えるかどうか。それによって、その後の信頼関係や心の距離は変わってくるように思う。いいときも悪いときも正直であることが大事だ。

話を「マネーフォワードＭＥ」創成期に戻そう。

「マネーブック」の失敗を経て転換するも、すぐに「入力できない家計簿アプリなんて使えない」とユーザーから叱られて、最初からつまずきの連続だった僕たちだが、モチベーションが萎《しぼ》むことはなかった。

ＢｔｏＣだけでなく、ＢｔｏＢ向けのサービスの開発も同時に進めていた。例えば、クラウド会計は僕のソニー経理部時代に直面した課題が原点になっている。ユーザー視点に立ったプロダクトづくりは、トライ＆エラーを繰り返しながらも前に進んでいたと思う。

しかしながら、同時期に僕を悩ますシビアな問題がもう一つあった。

会社の成長には欠かせない、「お金をいかに集めるか」という大問題だった。

Chapter 4

お金が集まらない!

ビジネスで結果を出せる人たちに共通する資質。

それは「お金を集める能力」、すなわち事業を進める上で必要な会社のリソース、予算を獲得できる力ではないだろうか。

誰もが認める成果を出して評価されたら、自然と予算はつく。たとえ個人の能力がそれほど高くなかったとしても、単体黒字化を達成している既存事業で「稼げる事業」と社内で認知されているのであれば、予算獲得にそれほど苦労はしないだろう。


しかしながら、それが〝新規事業〟となると、途端にハードルが上がる。

「新しいプロダクトをつくる」という響きはワクワクする一方で、いかにして、人に使ってもらえるプロダクトをつくるか、そしてビジネスモデルとしてワークして経済的に自立するかに奔走されることになる。しかも、周りからのすさまじいプレッシャーと闘いながら。

「まだやってるの？　本当にそれで、稼げるの？」と言わんばかりの冷たい視線を感じたり、何度説明してもいい反応を得られなかったり。肩身の狭い思いをしたことがある人もいるのではないだろうか。

起業家も同じだ。特に、これまで世の中になかったサービスをつくろうとするときには、資金集めに苦労する。なぜなら「絶対に成功します」と証明できる実績は何もないからだ。世の中になかったサービスをつくるわけだから、前例もない。

それでもやっぱり、諦めることができないのはなぜだろう。自分でもうまく説明できない衝動や情熱と、厳しくつれない現実と。僕たちはいつもその狭間《はざま》を漂っている。

幻に終わった「広告モデル」

会社を存続させるには、お金が必要だ。

何によって稼いでいくか。その設計が会社経営の基盤となる。

と、MBAでもさんざん学んできたはずなのだが、僕は本当にお金儲けが苦手だ。謙遜ではなく、周りからも言われる。

「お金のサービスを提供している僕らが、お金儲けが苦手」なんて嘘みたいだが、事実としてそうなのだ。

正直に言おう。僕らは創業当時、「2年後の黒字化目標」を掲げたが、9年目を迎えた現在、まだ達成できていない。

この間、クラウド会計、クラウド請求書、クラウド給与、クラウド経費、クラウド勤怠など、法人向けサービスも次々に拡充し、組織もアメーバのように拡大してきた。僕は、今はとにかく、社会のあらゆるお金の課題にマネーフォワードが応えられる体制づくりを急ぎたいのだ。変化の時代には、単一事業に注力するのではなく、いくつもの杭を打っておくことがリスク回避につながる。さほど遠くない未来では、複数事業間で素晴らしいシナジーが生まれているはずだ。

こう言っては投資家に叱られそうだが、「社会にとってなくてはならない存在にさえなれたら、利益は後からついてくる」と僕は信じている。

とはいえ……。

先立つものは当然、必要であり、お金を集められなければ会社は死んでしまう。

僕らは会社経営に必須のお金集めに関して、かなり不器用なほうだったと思う。

まず、そもそも収益モデルの詰め方が甘かった。

2012年の年末、家計簿サービス「マネーフォワードME」をリリースした当初に考えていたのは「広告で稼ぐ」というモデルだった。

「家計簿を見にくるマネー感度の高い消費者に向けて、広告を打ちませんか？」

そんな広告営業をしたら、きっといけるだろう！　という目論見《もくろみ》だった。

その頃、投資家に向けて用意したプレゼン資料を引っ張り出すと、「来年の今頃には月次の売り上げは2000万円の見込みで、うち1700万円は広告収入です。さらに翌年には黒字化します」と書かれている。

そして、2013年8月に広告募集のリリースを出している。

しかし、結果はさんざん。

先にも書いたが、「家計簿サービスなんて1カ月に1回、頻度の多い人でも1週間に1度チェックするものでしょう」と一蹴されて、広告枠がなかなか埋まらないのだ。広告はたくさん見られてなんぼ。当然の指摘だ。

日夜開発中だったアカウントアグリゲーションの仕組みについても、「本当にうまくいくのか？　それで人は集まるのか？」と懐疑的な反応がほとんどだった。

同時期に、家計簿サービスにプレミアム機能を搭載して課金の仕組みを導入するも、初月に加入してくれたユーザーはたった20人。どうやってお金を稼げばいいのかが見えないまま、開発資金の調達が切迫した課題となった。

会社は「つぶさない限り、つぶれない」

期待していた広告収入が全くうまくいかず、サービス自体のPMFも見えず、と八方塞がりの状況に直面していた。一方で、銀行残高は日に日に減っていく。

「このままだと、あと数カ月もしないうちに、お金がなくなる」

会社の通帳を見ながら、一人、途方に暮れていた僕は、創業当時からの顧問で、エンジェル投資家としてもさまざまな相談に乗ってくれていた会計士の造田洋典先生を、オフィス近くの喫茶店に誘った。高田馬場の地下1階のルノアールだ。

その話は、ワンルームのオフィスでするわけにはいかなかった。僕が弱気になっていること、どうしていいかわからなくなっていることを、みんなに知られたくなかったからだ。

「このままだと、僕らの会社はつぶれますよね」

これが、僕がワンルームでは口にできなかった、〝現実〟。

「……どうしたら、いいですかね」

仲間と描いた〝夢〟とのギャップに、僕は追い込まれていた。

すると造田先生は、「そうですねえ……」と一瞬考え、そして続けた。

「ねえ辻さん、会社というのは、なかなかつぶれないものですよ。どうしても立ち行かなくなったら、辻さんたちの給料をゼロにして、社員たちには申し訳ないけど辞めてもらってコストを最小限に抑えれば、なんとか生き延びるものです。『つぶさない』という意思さえ持てれば」

造田先生としては、当たり前のことを言っただけなのかもしれない。今、後輩の起業家から、僕が同じように相談を受けたら、きっと同じように答えると思う。だけど当時の僕は、そんなことも考えられなくなっていたのだ。

「そうか……。会社はつぶれないのか……。意思さえ持てれば、会社はつぶれないのか……。強い意思さえ持てば……！」

目の前が急に開けたような気がした。

「とにかく、資金調達を急ぎましょう。辻さん、次は、ベンチャーキャピタルに相談しにいきましょう」

造田先生の前向きな言葉に、僕は涙をこらえながら、ルノアールの階段を駆け上がった。そして、会社をつぶさないこと、夢を現実にすることを、あらためて固く心に決めた。

「100万人集めてから来てください」

2012年5月の会社設立時は創業メンバーの自己資金を集めて資本金にした。さらに直接の知り合いに頭を下げたりして、その年末にはマネックスと個人投資家（今でいうエンジェル投資家）から約2000万円、翌2013年の3月には個人投資家の10人ほどから1億円を出資していただいていたが、まだまだ資金は足りない。

ベンチャーキャピタル(VC)の門を叩き、断られること数十回。

「やりたいことはわかるんですけどねぇ」

「実績で証明されないとなんとも……」

「これ、1万人も使わないんじゃないですか?」

「熱意はよく伝わりました。でも、ユーザーを100万人集めてから来てください」

けんもほろろに、出資が決まらない日が続いた。


肩を落として、高田馬場のオフィスまで戻り、玄関の扉を開ける前に、息を吸って両手で顔をこする。少しでも血色を良くするためだ。寝不足と闘いながら、日夜開発に勤《いそ》しんでくれている仲間たちに、暗い顔は見せたくなかった。

リーダーが暗い顔をして下を向いていたら、会社全体が暗くなり、良いことは何もない。ツラいときこそ、明るく、鼻歌を歌おう、と決めていた。

おかげで創業期にいたメンバーたちからは、

「辻さんは大変なときでも明るかった」

と今でも言われる。

これまで日本になかったサービスをつくろうと考えているのだから、事前に示せる実績もない。

僕らは夢しか語れない頼りない存在だった。でも、断られたからといって、捨てていい夢とは思えなかった。

そして、ついに僕らの夢を信じてくれる人たちと出会うことができた。

２０１３年10月、大手のＶＣ、ジャフコから5億円もの出資を受けることができたのだ。

僕らの可能性を信じてくれた恩人は、小沼晴義さんと坂祐太郎さんだ。

お二人は僕らの熱意だけでなく、「プロダクト」と「チーム」に価値を見出してくれた。当時自分たちの未来に全く確証が持てず、不安も大きい状況で、プロの投資家のお二人に認めてもらったことが僕は本当に、本当に嬉しかった。

「辻さんが生み出そうとしているプロダクトは、きっと世の中のためになる。しっかり開発していけば、ちゃんと広がるサービスになりますよ」

アカウントアグリゲーションという技術によってもたらされる消費者のメリットを理解しようと耳を傾け、可能性を評価してくれた。何よりも「僕自身が使いたい」という言葉に力をもらえた。

お二人は、僕たちの小さなオフィスに何度も足を運んでくれた。どういう人たちが実際に手を動かしているのか、文面の肩書きだけではない情報を取りに来てくれたのだ。狭いワンルームマンションの中でどういうやりとりがあったかの詳細は省くが、この日に起きたこととして、いまだにお二人が語ってくださることがある。

この日は天気予報が外れ、小沼さんと坂さんがオフィスを後にしようとした直前に土砂降りの雨が降り出した。思わず、玄関に置いていたビニール傘を2本取り出し、

「濡れないように、これ使ってください！」

と差し出した僕の行動がよほど印象に残っていたらしい。

「後にも先にも、出資検討中のベンチャーから傘を借りたことはなかった」

とおっしゃっていた。

〝傘のお返し〟は大きかった。

「辻さんとあのチームなら間違いないと確信しました」
という最高の言葉と共に、希望通りの額で出資が決まった。

「キレたら負け」を胸に

日本を代表するVCであり、世間の信頼が厚いジャフコから出資を受けられたことで、その後の交渉はとてもやりやすくなった。

しかし、ここに至るまでには、はらわたが煮え繰り返りそうな悔しい思いを何度もしてきた。僕は嫌な思い出はサッパリ忘れるタイプだが、本を書くことを機に記憶をたどってみると、かなりしんどい扱いを受けてきたことを今さらながら思い出している。

例えば、業界ではやり手で知られる、大手某社のA氏。約束の時間を大幅に過ぎても現れず、やっとドアが開いたと思ったら、椅子にふんぞり返って手元の資料をパラパラとめくり、

「あー、これじゃ無理だね」

この一言で終わり。

それ以上、説明することも許されない空気に僕たちは屈し、帰るしかなかった。

このときばかりは、もう少しのところで、感情的に声を荒らげる寸前だった。僕たちの思いを聞くこともしない。起業家に対するリスペクトもない、いや、それ以前に人としての最低限の礼儀もない。そんな態度に、「お金を持っていることは、そんなに偉いことなんですか？」とキレそうになった。

でも、冷静なもう一人の僕が「待て」と言った。「キレたら負けだろ？」と。

この「キレたら負け」というフレーズは、サイバーエージェントを創業した藤田晋さんの本から得た学びだ。「たとえひどい仕打ちをされたとしても、品性は保て」と藤田さんはいう。

もしあのとき、僕がA氏を前にキレていたら、あっという間にその噂はＶＣ界隈に広まっていただろう。今だからこそわかるが、スタートアップ業界は狭い。「あの起業家はこんなふるまいをした」という情報は一瞬で広まる。著書を通じて重要な教訓を示してくださった藤田さんには、とても感謝している。

この経験を通じて僕が若きチャレンジャーたちに言いたいのは、「キレたら負け」ということに加えて、「応援してくれる人は必ずいる、その人たちを見つけるまで諦めるな」ということだ。

たとえ拒絶され続けたとしても、強いパッションを仲間と持ち続けることさえできれば、必ず応援してくれる誰かと出会える。

出会うまで、走り続けられるか、止まってしまうか。資金調達の成否も、きっとその違いだけなのだ。

そして、どんなときでも自分を見失わずに、他人に対して真摯かつ誠実でいたい。苦しいときにどう振る舞うかが、未来の自分に返ってくるからだ。

投資家と起業家との関係性も、結局は人と人との信頼がベースになるのだと感じている。

傘の思い出を共有したジャフコとは、「出資先」「投資家」になってからも素晴らしい関係を築くことができた。２０２０年夏に、マネーフォワードの１００％子会社・マネーフォワードベンチャーパートナーズが、アントレプレナーファンド「HIRAC FUND（ヒラクファンド）」を立ち上げたときには、なんとジャフコとして、十数年ぶりにLP投資（ファンドへの出資）を決めてくださった。

「HIRAC FUND」は、テクノロジーによって社会課題解決を目指すシード・アーリーステージのスタートアップを支援する目的で設立したものだ。もちろんビジネスとしての目的が前提だが、僕たちにとってはスタートアップ業界への〝恩返し〟の気持ちが非常に強いプロジェクトでもある。

かつての僕らがそうだったように、「見せられるのはパッションと仲間だけ」と奮闘するチャレンジャーを、僕らも応援できる存在でありたい。

もしもこれから、新しいものづくりにチャレンジしようという人がいたら、「最初から理解を示し、お金まで出してくれる人は滅多にいない」という前提に立ったほうがいい。

断られて当然、傷ついて当たり前だと覚悟しておくと、少しは気持ちが和らぐかもしれない。

断られても、ひどい仕打ちを受けたとしても、人として腐らないこと。どんなときでも、後から振り返って堂々と胸を張れる行動をとること。そして、諦めずに人と会い続け、自分の思いを語っていくこと。とにかくプロダクト、サービスづくりにフォーカスすること。

すると、きっといつか現れるはずだ。「あなたを100%応援したい」と信じてくれる人が。

その日まで諦めないことが、唯一の成功ルートだと僕は思う。

Chapter 5

BAN! BAN! BAN!

これまでの常識を変えるチャレンジは、しばしば「非常識」と批判を受ける。従来の常識をつくってきた人たち、守っている人たちからすると、存在を脅かされるリスクとして映るからだろう。

そこまでの反発といかなくても、

「それって、今までのやり方を変えないといけないってことですよね?」

とあからさまに面倒臭そうな口調で返される。思わず「ごめんなさい」と謝りそうになる。起業をして知ったことだが、変化や未知のものを避けて現状維持を望む「現状維持バイアス」は、僕たちが思っている以上に強くて深い。

ある領域をより良くしたいからやっているのに、その領域の関係者たちから煙たがられてしまう。

そんなジレンマは、新しいサービスをつくったり、組織の中でも新しいルールや仕組みを導入しようとするときによく起こるはずだ。

ありがちな失敗は、良かれと思って勢いで進めた結果、「なんてことをしてくれるんだ！」と怒られる事態。原因の大半は、「そもそもなぜそれをするのか」という本来の目的や価値が伝わっていないこと。やはり物事を進めるときには、相手の事情も考慮して丁寧なプロセスを踏むことが大事なのだと思う。

一方で、非常識で青臭い勢いを武器にしてはじめて、切り拓ける世界もあるのかもしれない。

その狭間を右往左往した僕たちのストーリーを隠さず紹介しようと思う。

代表電話に苦情の連続

僕が安定した会社員生活を捨てて起業したのは、「みんながお金の課題から解放されて、思い切り夢を追いかけられる社会をつくりたい」という思いからだ。

その実現の一つのカギが、アカウントアグリゲーション、複数の金融機関の口座情報を一つに集約、閲覧できる機能だった。

通常、自分が所有しているお金の流れを把握するためには、口座を持っている金融機関一つひとつにログインして履歴を確認したり、問い合わせたりする必要がある。日々忙しい生活を送っている人たちにとっては、非常に手間がかかるし煩《わずら》わしい。

個人の資産の預け先が郵便局や銀行に限られていた昔と違って、今はいくつもの金融機関に分散させている人が多数派だろうし、電子マネーも林立している。

アカウントアグリゲーションを利用すると「マネーフォワードＭＥ」の自分のアカウント画面から、利用している銀行口座や証券、クレジットカード、その他のさまざまな金融サービスの利用状況が簡単に一覧ですぐ見ることができる。

例えばA社のクレジットカードでいくら使ったか、B銀行とC銀行に自分の預金残高はいくらあるのか。そういった自分の資産を一つの画面で見られるわけだ。

お金のフローが多様化・複雑化する現在、ワンストップで「お金の流れがすべてわかる」というサービスは、生活の利便性を高め、無駄やストレスをなくしていく。お金の全体像をつかみやすくなれば、お金の使い方も健全化する。

アカウントアグリゲーションは、そんな進化を可能にする機能だ。

マネーフォワードのサービスの多くは、このアカウントアグリゲーションを基盤としていて、家計や資産の管理、法人の会計へと領域を広げてきた。

この機能自体は古くからあったもので、全国銀行協会から2001年に「アカウントアグリゲーション・サービスに関する基本的な考え方」というガイドラインも出されている。当たり前だが、僕たちもそのガイドラインに沿って事業を展開してきた。

それが、2010年代に入ってからのクラウド環境の急速な発達によって、状況が大きく変わった。キャッシュレス決済の広がりと共によく聞かれるようになった「フィンテック」という言葉も、テクノロジーの力で加速的に進む金融イノベーションを象徴している。

テクノロジーの発達によって、ビジネスチャンスが大きく開かれることとなったのだ。

しかしながら、イノベーションには衝突や軋轢《あつれき》がつきものだ。「新しいもの」が生まれるプロセスには、従来の〝常識〟や〝当たり前〟を揺るがす火種が散らばっている。もちろん僕たちも例外ではない。

皆さんは、かかってきた電話を取ったら、いきなり相手が怒鳴ってきた、という経験はあるだろうか。

実は僕たちは、ある。しかも、一度や二度のことじゃない。

「うちのサーバーが落ちたら、お前たちのせいだ！　責任を取れ！」

ある時期、こんな電話が続々と、マネーフォワードの代表電話にかかってきたのだ。

同時に多くのユーザーからも、

「この間まで使えていた機能が、急に使えなくなった！　困っています！」

という切実な声が寄せられ続けていた。

電話口の激しいお叱りと、ユーザーの切実な声の間で、僕たちは全く身動きがとれなくなってしまったのだ。

「みんなが便利になる」サービスで直面したまさかの逆風

「辻さん……、やっぱりつながらなくなっています」

怒鳴り込み電話の後、画面を凝視したエンジニアから告げられると、グッと身が硬くなった。

「そうか、そうか、またやられてしまったかぁ～！」

口では平静を装うしかなかったが、心臓はバクバクしていた。みんながより便利に、自分のお金の流れを把握できるように。そのために始めたサービスが、明らかに「拒否」されてしまったからだ。

先ほどの、「うちのサーバーが落ちたら、お前たちのせいだ！　責任を取れ！」という電話。実はこれは、ある大手クレジットカード会社からかかってきたものだ。

この時期、僕たちはアカウントアグリゲーションを活用したサービスの幅を積極的に広げている最中だった。そしてこの電話の相手こそ、ちょうど数日前、僕たちがサービス連携をしたクレジットカード会社だった。僕たちのサービスは、そのクレジットカード会社のサービスから、〝BAN〟＝停止・拒絶されてしまったのだ。

僕たちのサービスがBANされてしまえば、当然、その影響はユーザーに及ぶ。「マネーフォワードME」のアカウントに登録し、一覧で見ることができるようになった情報が、あるときから突然見られなくなるわけだ。

僕たちのサービスに襲いかかる逆風に、頭を抱えるしかなかった。

ただ、実はこのときだけは、僕はちょっと恵まれた状況だった。

というのも、たまたまそのクレジットカード会社の元CTO（Chief Technology Officer）の方が、うちの顧問をしてくださっていたからだ。その関係性にすがって、なんとか話をつないでもらうことができた。

この謝罪の場では、僕は本当に生きた心地がしなかった。アカウントアグリゲーションが便利なのは、多くの方が頻繁に利用するいくつかのサービスの利用状況が、一覧で見られるからだ。「よく使うあのクレジットカードの情報は見られない」となると、その利便性がガクッと落ちてしまう。その意味で、「失敗」するわけにはいかなかったのだ。

そんな切迫した思いで臨んだ場ではあったが、元CTOの方にご尽力いただいたおかげもあって、結果的にサービスの連携を認めてもらうことができた。

このときは丸く収まったが、すべてがうまくいったわけではない。BANされたっきり、関係性が途絶えてしまった金融サービスも数は少ないが、あるのが現実だ。みんなが便利になるようにと始めたサービスが、受け入れてもらえない。このことは本当にツラかった。

将来の不安を解消したい

BANされた経験の中でも、ショックが大きかったのはある奨学金関係の団体（仮にD社）から受けた拒絶だった。

不況の時代を生きてきた僕たちの世代には、奨学金を頼って進学した人も多い。借り入れた奨学金をいくら返還しているか、今後返さないといけない奨学金の残額はいくらなのかといった情報は、将来に向けた人生設計には重要だ。

ユーザーの方々からも、そういった情報を「マネーフォワードME」で一元管理しながら、きちんと奨学金を返還していきたいという声を多くいただいた。確かにそれは素晴らしい考え方だと、僕たちはポジティブな思いでアカウントアグリゲーションを用いて、D社とのサービス連携を進めた。

普段の入出金だけでなく「負債」をいつでも確認できる環境を提供することは、「User Focus」の視点から強力な価値になるという確信と誇りがあった。何より、借りたお金をきちんと返そうというユーザーの方々の真摯な思いに応えられることが嬉しかった。

そして、僕たちは、連携開始を高らかに発表するリリースを配信した——。

ところが、先方の受け止め方は実にネガティブだった。リリースを出すや否や、すぐに連携をストップされ、逆に「マネーフォワードとは連携していません」と公式発表されるという事態に陥ったのだ。

僕たちの認識不足だったのだが、実はこの頃、「奨学金返済に圧迫される氷河期世代」といった文言がメディアで躍り、先方は〝世の中からの見られ方〟をとても気にしていた時期だった。リリースを書いた広報担当者はいまだにこの件に触れると「私のせいで申し訳なかった」と小さくなるのだが、明らかに僕の予見不足だ。

役員2名が謝罪に行ったが、取り付く島なし。

ユーザーの利便性を考えてつくったものの、結果として大きな迷惑をかけてしまったこと、拒絶をされたことは僕にもツラい体験だった。何のために事業をしているのだろうとぐるぐる考えをめぐらしたけれども、答えは出なかった。

でも、拒絶されてもユーザーのために前に進むことは止められない。じゃあどうすればいいか？　このときに学んだことはシンプルに、「相手の立場に立って、コミュニケーションはより慎重に」「プレスリリースを出すときは先方の許諾を得よう」というものだった。

わざわざ書くのも赤面するような、〝ビジネスの超基本〟なのだが、僕たちはとにかく思い先行で未熟だったのだ。

先方にも、僕たちからではわからない事情や理由がある。それを理解し、コミュニケーションをとりながら、一歩ずつ進めていく丁寧さが必要だということが身に沁みて勉強になった体験だった。

「拒否する側」にも理由がある

これまで、僕たちはいくつかの機関にBANされてきた。しかし、これだけは言える。僕たちが目指した方向は間違っていなかった。

ただ、これでBANの話を終えてしまうのは、正直にいってフェアじゃない。思い先行で未熟だった僕たちにも謝罪しなければいけない理由があったし、僕たちが反省して変えるべき点があった。これは、BANされ多くの方からお叱りをいただく中で、はっきりと見えてきたことだ。

アカウントアグリゲーションによって、僕たちのサービスがA社やB銀行やC銀行のサーバーにアクセスしてユーザーに代わって情報を取得することで、ユーザーは自分の出入金を一元管理することが可能になる。ということはつまり、ユーザーが「マネーフォワード ME」を更新すれば、A社にもB銀行にもC銀行にも、それ以外に登録してあるすべてのサービスにも接続しにいくことになる。

一方で、皆さんは普段、どのくらいクレジットカードの明細を見たり、銀行預金を確認したりするだろうか。おそらく、月に1回、2回、必要に応じてという方が多いと思う。

要するに、この「月1回、2回、必要に応じて」という設計で用意していたサーバーに、ほぼ毎日、頻繁なアクセスが生じてしまったわけだ。

何の連絡もなく、いきなりサーバーへの負荷が何倍にもなれば、エンジニアなら顔面蒼白。サービスそのものがダウンしかねない。いきなり連携されたサービスで、自社のサービスがダウンしてしまう……その状況を考えただけで、僕だって怒鳴り込みたい気持ちになる。

BANされた理由がすべて、このサーバーへの負荷の問題だったわけではない。ただ、

「うちのサーバーに異常な負荷がかかっていて、調べてみるとお宅からのアクセスのようなのですが、どうにかしてもらえませんか?」

という問い合わせは多かったから、やはり、僕たちのやり方に慎重さが欠けていたのだと思う。この点は、深く反省している。

ユーザーが一番の味方に

もう一つ、このアカウントアグリゲーションとBANを通して、僕たちが学んだことがある。

このときも発端は、ある大手地方銀行からの電話だった。サーバーに負荷がかかって困ると叱られたのだ。

原因を調べてみると、その銀行に口座を持っているマネーフォワードユーザーの一人が、入出金の頻度が多く、明細データが膨大になり、データアクセスが無限ループ状態になっていたことがわかった。

先方からのプレッシャーはすさまじく、「すぐに改善できないのならBANするぞ」と言わんばかりだった。何度経験しても、このプレッシャーと、ユーザーに役立つサービスを届けたいという思いとのギャップには慣れることができない。

ただこのときは、この後の展開がいつもとは違った。僕たちがいつものように改善をする前に、急に相手、つまり大手地方銀行の担当者の態度が変わり、「どうやったらうまく連携できるか」と軟化した態度で、再度、電話をくださったのだ。

この急激な対応の変化は僕たちにとってもはじめてのことで、かえって面食らうこととなった。

なぜ、このようなことが起こったか。その理由は、データアクセスが無限ループになってしまっていた、ユーザーにあった。

そのユーザー――つまりマネーフォワードのサービスを通して大手地方銀行の情報を取得していた人は、実はその大手地方銀行にとって、大事な法人顧客だったそうだ。その顧客が、マネーフォワードの便利さ、連携の大事さを銀行の担当の方に丁寧に説明してくださり、担当の方が理解を示してくれたとのこと。こうしたパターンは、その後何度か経験することとなった。

そして僕たちは、確信した。

僕たちが存在するための唯一の価値――それは、「ユーザーに支持されること」だと。

古びたワンルームマンションから生み出せるものはそれしかなかった。

「マネーフォワードがあって良かった」とユーザーに思ってもらえる存在にならなければ、マネーフォワードが存在する理由は何もない。ここから、僕たちの「User Focus」という価値観が生まれた。

次々とぶつかるBANの壁に対しても、「ユーザーに価値を感じてもらい、応援してもらうこと」、これが唯一の解決法だった。

僕たちがやっていたことは、従来の金融業界の〝常識〟と照らし合わせると「ご法度」なことが多かったかもしれない。

けれど、ユーザーの支持さえあれば、その常識は変えられる可能性がある。「マネーフォワードは便利だ」「マネーフォワードとの連携がなきゃ困る」というユーザーが増えれば、対応してくださる金融機関も増えていく。

「マネーフォワード ME」のユーザーも1000万人を超え、最近はむしろ、「ユーザーの強い要望があるので『マネーフォワード ME』とつながせてほしい」という声を多くいただくようになった。

やっぱり、迷わず〝User Focus〟を掲げ、ユーザーに価値を届けることに集中し、ユーザーにとって本当に役に立つサービスをつくり続けるしかない。そこにしか僕らの存在意義はない。

こういった背景もあって、マネーフォワードのバリュー（大切にしている価値観）の一番はじめにくる言葉は、〝User Focus〟であり、それはきっと、これからも変わらない。バリューについては、第7章であらためてお話しする。

どこよりも速く!!

振り返ってみれば、もっと上品に進める方法はあったかと思う。

サービスの設計自体は違法行為ではないことは、顧問弁護士をはじめ多くの専門家に確認しながら進めていた。

ただ、とにかく僕たちは焦っていた。「1分1秒でも早く、ユーザーに価値を届けたい」。

スタートアップの強みは、「情熱とスピード」だ。逆にいうと、スタートアップはそれ以外には何もない。

後ろめたいことは何もないと自分たちに言い聞かせ、ユーザーが味方になってくれれば、業界に風穴を開ける一矢になれるはずだ。そんなイメージはなんとなく持っていた。

ただ、未熟な僕たちは、壮大な目標に対して開発力が追いつかず、関係する先々にしばしば迷惑をかけてきた。

そのたび、データのアクセスの配分を調整するなどして、なんとか乗り切っていた。改善を急がせたエンジニアチームには負荷をかけてしまい、仲間がしんどそうにしていることもツラかった。

テクノロジーの進化は、しばしば常識を超えていく。

「金融情報は頻繁に照会されるものではない」という常識に基づいて設計されたシステムでは、アカウントアグリゲーションを使ったサービスは「過重な負荷」の原因になって当然だ。

でも、ユーザーが求めているものはなんだろう？　僕たちが財布の中身を確認するように、銀行の残高だって頻繁に確認したいはずだ。サービスを使う人が徐々に増えていき、「自分の金融情報はつねにチェックでき、最適な判断が都度できる」という考え方が新しい常識として定着していったとしたらどうだろう。サーバーの設計方法そのものが変わるはずだ。

ルールに従う側でいるのか？
ルールを変える側になるのか？

自分たちが何者でいたいかを見失わなければ、何をユーザーに届けたいのか、ということをつねに考えていれば、恐怖に足がすくまずいられる。この本の冒頭でも書いたが、「失敗」はそこから学びさえすれば、「成功へのプロセス」に書き換わるのだ。いくつものBANで傷つきながらも、僕たちは学んだ。ユーザーの価値を第一優先とすることに揺るぎはない。

ただ、「マネーフォワードとの連携は、先方にとってどんな意味があって、どんなメリット・デメリットがあるのか？」と議論をした上で、最適な方法を探る意識を持つようにもなった。

そして、もう一つ。「僕たちの描いている未来、変化の先にある未来像を、なるべく多くの人たちにきちんと伝え、共有することの重要性」をいっそう強く感じるようになった。

自分たちの描く未来を、みんなで描く未来へ

起業してから僕がずっと懸念しているのは、今のままでは、日本が他国に取り残されてしまうのではないかということだ。すさまじいスピードでテクノロジーが進化し、人々の生活は便利で豊かになったが、日本の法規制は、この進化には追いつけていない。実際、今ある法規制のほとんどは、例えばGoogleやFacebook、Uber、メルカリのようなサービスの誕生や普及を想定していない。

法規制はもともと、国民を守るために、必要だからつくられた。しかし、時代が変われればアップデートが必要だ。ここで出遅れれば、海外の競合に負けてしまう。ユーザーのメリットが大きくて未来のために必要なら、ルールだって迅速にアップデートしていかなければならないと僕は思う。

みんながワクワクするような、便利で新しいサービスが、古いルールや小さな欠点や失敗を理由に「ダメだ」と拒絶されるのは、本当にツラい。日本だけ、進化にどんどん取り残され、海外のプレイヤーとの競争に負けてしまうんじゃないか、新しいワクワクするサービスが生まれなくなっちゃうんじゃないかと考えると、心の底からぞっとする。

新しいものを生み出すだけではなく、古いルールを変え、みんなが挑戦できる土壌をつくっていきたい——。

そんな思いから、僕たちは2015年7月、マネーフォワードFintech研究所を設立した。目的は、金融機関と企業の協業を促進し、金融をもっと便利にしていくこと。そして、1700兆円を超える日本国内の個人金融資産の運用改善を促していくことで、金融産業を軸とした国際競争力をより高めていくことだ。

そうした活動の一つの成果として、そして多くの官公庁や弁護士など関係する方々の尽力のおかげで、2017年に銀行法が改正され、いわゆるオープンAPIが義務化された。オープンAPIとは、金融機関が口座などの情報を他のサービスと安全に連携して提供する仕組みのこと。僕らがBANされたアカウントアグリゲーションの考え方が法制度としても認められたのだ。クラウド化がいっそう進み、さまざまなサービスの連携が求められる社会において、このオープンAPIの考え方は必須のもの。今後はオープンAPIを使った面白いサービスがどんどん出てくるはずだ。

「自社の利益誘導だけになるようなダサいことはしないでおこう。未来を見据えて、日本という国が発展するために、ユーザーにとって本当にいいと思うことを、主張しよう」

これは、政府主催のフィンテック関係の委員会などに呼んでいただくことが増えた瀧と僕の、ささやかな誓いだ。

ユーザーのために必要なら、ルールも変えたい。僕たちは今日もこの誓いを胸に、テクノロジーと法規制を両輪で進めるべく奮闘している。

いつしか選ばれる立場へ

僕たちをめぐる状況も大きく変化している。そのきっかけは、2019年に話題になった老後2000万円問題だ。この2000万円問題の根源の一つに、国民一人ひとりが自分の受け取れる公的年金の額を自覚していないことがあった。

その情報は、本来は毎年送られてくる「ねんきん定期便」や「ねんきんネット」のサイトで確認することができる。だが、その認知や利便性は限られているのが実情だ。「マネーフォワード ME」では、公的年金のデータも家計簿に取り込むことができ、老後に向けた資産を認識できるようになっている。このような公的機関との連携を広げていけば、ユーザーに提供できる価値ももっと高まる。

ここ数年での連携案件は、先方からオファーを受けることから始まる場合が圧倒的に多くなった。ユーザーのニーズの変化、そしてそれに対応するサービス提供者側の対応は着実に進んでいる。

第2章で、創業メンバーの一人、ソニーを辞めてマネーフォワードにジョインした都築を紹介した。マネーフォワードにジョインしたことで、勤め先の信用がないと判断されて「仮契約していた住宅ローンが白紙になって、数百万円もの頭金が回収される」という悲劇に見舞われた男だ。

それでも僕の夢を信じてくれたことが嬉しかったが、創業後のつまずきにもずいぶん付き合わせてきた。

友人にしか使われなかった「マネーブック」の時代から苦楽を共にした都築が、時を経て保育園のパパ友から、

「都築さん、こういう便利なサービスがあるの知っています？　『マネーフォワード』っていうんですけど」

と薦められて感動した、と話してくれたときには僕もグッときた。

拒絶され、でも、ブレずに続けてきたことでユーザーが味方になってくれた。そして、ユーザーという枠組みを超えた多くの方々が、僕たちの未来を見据えた活動とその思いを理解してくれ、支援してくれるようになった。

僕たちの周りの風景は、ずいぶん変わってきた。

技術革新は、これからさらに加速していく。少子高齢化が進み「課題先進国」になりつつある日本では、これまで以上のスピード感で新しい技術を生み出し、活用して社会課題を解決していく必要性に迫られるのは間違いない。その中で、さまざまな分野で法規制のアップデートが求められていくはずだ。

もしあなたが僕らに続く起業家で、技術の進歩と法規制のアップデートのギャップに直面して悩むことがあったら、僕はこう伝えたい。

「スピードはもちろん大事だ。だけどユーザーにとって、社会にとって、本当にメリットが大きいサービスをより多くの人に届けたいと思うなら、そのサービスに関係するすべての方々とのコミュニケーションを大切にしたほうがいい。遠回りに見えるかもしれないが、結果的に、それが近道なんだ」

これは、僕たちが実際に苦しい思いをして得た学びだ。

継続的に発信し、誠実なコミュニケーションをとっていくことで、官公庁や弁護士などの専門家の中にも、同じような課題意識を持った方がたくさんいることがわかった。その方々から寄せられた率直な意見やサポートは、僕たちがギャップを乗り越えていくための、大きな力となったのだ。

課題は一つひとつ越えるしかなく、その道のりは長く苦しいものになるだろう。でも、僕たちが苦しみを乗り越えることでアップデートされるのは、日本社会だけではない。解決法を海外に輸出していくことで、僕たちの進歩が世界の進歩にもなるはずだ。技術が世界を豊かにしていく。そんな未来を実現したいと、僕は強く思っている。

Chapter 6

成長痛と別れ、
そして、より強いチームへ

チームや組織が成長する過程には、必ず痛みが伴う。

チームが発足した頃は、少人数で和気あいあいと、息の合ったコミュニケーションがとれて同じ方向を見ながらスピーディーに進むことができたのに、新しいメンバーが増えて所帯が大きくなるにつれて、あちこちでハレーションが起きるようになった。

急増する業務をさばくために急いで採用したメンバーが、根本的な価値観を共有できないタイプだった。

仲間だと信じていたメンバーの気持ちが、いつの間にか離れていってしまっていた。

個々のメンバーが近視眼的に目の前の仕事をこなすことに必死で、全体像を俯瞰《ふかん》してゴールを共有することがおざなりになっていた。

こうやって書き出すだけでも胸が痛い。

すべて僕が経験し、文字通り泣きながら乗り越えてきたことだ。

リーダーとしての未熟さゆえの失敗を重ね、メンバーの力を借りてようやく、僕らは組織として一段も二段も成長することができた。

その変化を実感できた体験として、3年前に起きたアクシデントの話から始めたいと思う。

サーバー移行か!? 全社がひりついた3日間

2018年9月6日の夜明け前、スマートフォンの通知が鳴って、目が覚めた。

いつもはまだ寝入っている時刻だったが、ただならぬ何かを感じ取ったのかもしれない。

目に入ってきた字面《じづら》に、動悸《どうき》が激しくなった。

「地震でサーバーが危ない状況です」

!!!

この日、最大震度7の地震が北海道胆振《いぶり》東部を襲った。その影響で停電が起こり、僕たちがサーバーを委託していたさくらインターネットのデータセンターが止まってしまう可能性が出てきたというのだ。

関係する役員何人かに連絡してから家を飛び出し、オフィスに着くと、すでにエンジニアチームが画面に張り付いていた。ユーザーは一時的にサービスにアクセスできない状況で、エンジニアが緊急対応に追われている。いつもは和気あいあいとした空間が、不穏な緊張感に包まれていた。

インターネットサービスにとって、その基盤となるサーバーが使えなくなるというのは、まさに死を意味する。

当時の「マネーフォワード ME」のユーザー650万人、そして「マネーフォワード クラウド会計」をはじめとするバックオフィス向けサービスのユーザー数万社が金融データにアクセスできなくなることだけは、何としても避けなければならない。ましてや混乱の中でデータが消滅するようなことだけは、絶対にあってはならない。

すぐにでも環境を安定させなければならないが、復旧の目処は立っていないという。

状況から見ると、とても冷静ではいられないほどのピンチだ。ひょっとしたら、顔つきは険《けわ》しかったかもしれない。けれど、僕の内面は自分でも不思議なくらい落ち着いていた。

なぜなら、同じ危機に向き合っていた現場の責任者たちが、動揺の色を少しも見せることなくすさまじい集中力で冷静に情報を集め、合理的な対応を検討する行動を見せてくれていたからだ。

起業以来、幾度となくこういった危機を迎えてきた。本当は二度とそんな危機は体験したくはないといつも思う。ただ、そういった危機にいざ対応するときの、頭をフル回転させながら、仲間と一緒に情報を集め、策を検討し、意思決定をしていく、そんなピリピリとした緊張感はエキサイティングで、チームの底力を感じる瞬間でもある。

インフラ責任者の市川は、パソコンの画面をにらんで応急処置的な処理を猛スピードでこなしながら、一瞬だけ顔をひょいとこちらに向けて、

「辻さん、どうします？」

と聞いてきた。

「このままさくらの復旧を待ちますか？　それともすべてAWSに移行しますか？」

AWSとは、「アマゾン ウェブ サービス」というクラウドサービスプラットフォームのことで、マネーフォワードはさくらインターネットのサーバーとAWSを併用していた。移行とはすなわち、650万人と数万社分の膨大なデータの引っ越しを意味する。痺れる選択だ。


僕は僕で、さくらインターネット代表の田中邦裕さんとチャットで直接連絡を取り合いながら、判断材料となる情報を集めていた。

田中さんのところには、さまざまなお客様から問い合わせが殺到していただろうし、前代未聞の事態を迎えて、本当に厳しい状況だったと思う。そんな中でも、真摯に誠実に対応いただいて、その姿勢に感動を覚えたと同時に、畏敬の念すら感じた。

同時に、2016年からCTOを任せていた中出もいろんなルートで最善の対応策を探っていた。

夜になっても状況は変わらず、エンジニアチームにはオフィス近くのホテルを取った。ほとんど寝ずの番状態だ。翌朝も同じメンツが集まった。

「辻さん、やはりサービスを確実に継続させるためには移行の選択も、現実的に考えないといけません。ただ、移行で問題が発生すれば、作業期間の4日間に入力したデータが全部ぶっ飛ぶ可能性があります」

「わかった。どのくらいの確率で？」

「2分の1です」

「マジで!?」

「はい。法人向けのサービスから準備をしておきましょう」

中出の冷静な口調から、それが大袈裟な数字ではないのだと察したが、後で聞いた話では、実はこのとき、中出は少し厳しめの試算を僕に伝えていたらしい。あのときの記憶を、彼はこんなふうに語ったそうだ。

「自家発電でしのげる日数と復旧までにかかる日数から計算して、なんとか乗り切れるだろうという目算はありました。でも、最悪の事態になったときにも乗り切れる準備だけはしておきたくて。辻さんには心配をかけたかもしれませんが、エンジニアチームは一致団結してこの局面を乗り切ろうと、アドレナリン放出状態でしたね。後から振り返っても、あれはチームビルディングを促進する最高の機会でした。深刻な顔をしていたかもしれませんが、気持ちは非常にポジティブでした」

確かに、この出来事を境に社内の団結が強まったと感じているメンバーは多いらしい。

最終的には、なんとか間に合うタイミングで北海道の電力が復活し命拾いをしたものの、インターネットに絶対の安定はない。またいつ同じような危機に襲われるとも限らないだろう。

でも、僕は怖くない。

あの日そうだったように、危機的状況から逃げず、淡々と自分の役割を果たそうとするプロフェッショナル集団がここにいることを知っているからだ。

地震発生直後から張り付いて45時間ほど経った土曜日の0時30分頃、「50％、電力が復旧したぞ！」と誰かの声が響いた。

その瞬間、ワッと歓声が上がり、黙々と画面を睨んでいたエンジニアたちの顔が一気に緩んだ。拍手をしながら、涙ぐんでいるメンバーもいた。あの光景は今でも忘れられない。

急成長に伴うひずみや軋轢

今でこそ、天災による不測のアクシデントにもタフに立ち向かえるようになった僕らだが、チームとしての安定感が備わってきたのはここ数年のことだ。

成長期の人間が心身に痛みを感じるように、会社も急成長しようと無理をしている過程で、ガタガタ、ギシギシと、あちこちで軋《きし》む音が聞こえてくる。

気心の知れたメンバーとそのツテで入ってきた仲間だけでものづくりをしていた創業期には起きなかった問題が、採用を積極的に始めてからは頻発するようになった。

採用を強化したのは、当時、サービス開発で発生したさまざまな課題の解決をとにかく急いでいたためだ。

創業して3年くらいまで、スピード重視でサービスを拡大する中で、エラーや障害が相次いだ。ひどいときには通知の頻度を誤ってしまい、新年早々ユーザーに何度も「あけましておめでとうございます」という通知が飛んでしまったこともあった（原因は、設定ミスというとても初歩的なものだった。このときは、〝鉄の番人〟として張り付いていた瀧が早めに気づいてオオゴトにならずに済んだ）。ほかにも、嫌な汗をかく事件がいくつも起きた。

「自分たちのサービスを早く一人でも多くの人に使ってほしい」という気持ちに、体制の成長が追いついておらず、つねにエンジニアは不足していた。

たった8人で始めた会社は、20人、50人、１００人と所帯を広げていった。

しかし、人数を増やしたからといって、その数だけ生産性が上がるわけではない。大事なのはマネジメントなわけだが、僕は本当にエンジニアに対するコミュニケーションが下手だった。

当時は、「とにかくいいサービスを1秒でも早くユーザーに届けたい」という思いばかりで、複数のメンバーの証言によると僕は自分の気持ちをそのままストレートに伝えてしまう癖があったらしい。

何か思いつくたびに、エンジニアチームに駆け寄って「これ、いつできる?」「早くリリースしたいなぁ!」と素直に口に出してしまう。多分、顔は満面の笑みだったはずだ。社長の一言がどれだけ現場に圧を与えるのか、まったく自覚がなかった。

「辻さんは無邪気にプレッシャーをかける天才ですよ」

と冗談混じりに言ってくれたメンバーがいるが、これが反省を促す意味を含んでいることは、今の僕にはわかる。

また、これも今だからわかることだが、開発は途中の差込案件が多いと、開発そのもののスピードが逆に落ちて効率が悪くなる。いつまでも高田馬場のワンルームマンションでワイワイやっていたときのノリではいけないのだと気づかせてくれたのは、僕以上に組織の成長を考えてくれる仲間たちだった。

「辻さん、思ったことを直接エンジニアに言わないでくださいね」

「チャットの書き方も気をつけてくださいよ」

そんな助言を日常的にもらえるのはありがたい。とにかく僕は社員によく叱られる。でも、臆せず率直に気づいたことを指摘してくれる仲間がいるというのは、本当にありがたい。

別れは突然に

僕は縁のあった人とはできるだけ長く付き合いたいと思っているし、関わってくれた人たちをできるだけ幸せにしたい、関わって良かったと思ってもらいたいと思っている。だから、袖振り合った仲間と別れるときは、いつもツラい。そのツラい気持ちをコントロールせず、感情をそのまま出してしまって、よく失敗した。

会社の成長に伴って、求められるスキルについていけなくなるエンジニアもいた。社歴の長さがプライドになって、新たに採用したエンジニアと揉めるようになった。

このままではうまくいかないことはわかっているのに、自分が守ってきたやり方を変えることを拒んだ彼に、僕はどう声をかけたらいいのかわからなかった。最終的に、彼は会社を去っていった。長年献身的に支えてくれて、人間的にも大好きだった彼が去ってしまったときには、「もっとやりようがあったのでは」と後悔の念が後を絶たなかった。

創業して間もない時期にジョインしてくれて、僕自身、すごく成長を期待して目をかけていたマーケティングチームの若手メンバーが「辞めます」と言ってきたときは、驚きで倒れそうになった。

僕のやりたいことと現場にできることにギャップが生じて、マーケティングチームは疲弊していた。それでも彼はずっと一緒にやり切ってくれるだろうと、僕は勝手に思い込んでいたのだ。

本人の意思はすでに固まっていたのに、

「今辞めるのは、逃げではないのか?」

と何度も引き留めた。寂しさと悔しさはやがて怒りに変わり、

「こんなに目をかけて、期待して育てたのに……」

と彼を責める感情をそのままぶつけてしまった。最悪だ。

せっかく素晴らしい時間を共に過ごしたのにきれいに送り出せなかったことは、今となっては後悔しかない。

会社が目指す方向性と、個人が人生で目指す方向性は、最初は一致していたとしても、時を経てズレが生じることも多々ある。その岐路に立ったときは、仲間の人生を応援するべきなのだと、今なら心から理解できるようになったし、心から応援できるようになった。

でも、当時は成長への焦り、強い焦燥感から、大事な仲間の門出を祝うことができなかった。当時を振り返って、今は、少しぐらいは成長しただろうか。

寂しい別れは数々あったが、特に僕がショックだったのは、上場直後に創業メンバーの一人が去っていったことだろう。「上場ゴールなんて、ダサいよな」と言っていたはずの仲間が、まさかのそのタイミングで去っていった。

本人からその意思を聞いたのは、上場後のM&Aのために予定していたベトナム出張が、ビザの不備で延期になった日だった。

「辻さん、ここ最近、休めていなくて疲れているでしょうから、温泉でも行ってきたらどうですか」

と秘書が取ってくれた箱根の宿に着いた夜。一気に湯冷めするようなチャットのメッセージを受け、一睡もできずに翌朝東京に戻った。

時間をかけて彼の話を聞いたが、僕は頭では理解できても、なかなか心から受け入れることができなかった。これからも同じ船に乗って荒波を越えていけるものと信じて疑っていなかった。

あまりにも突然のことで、他の役員も社員もショックを隠せなかった。普段は穏やかで、役員会でも衝突したことのないメンバーたちが、見たことのない顔つきで激昂していた。僕もなだめる言葉が見つからなかった。

しかし、思い返してみれば、彼はずっと言っていたのだ。

「自分は、ゼロからイチを生み出すことが好きだ。大きな組織のマネジメントには向いていない。しかるべきタイミングで、次の人にバトンタッチしたい」

と。

僕は忙しさにかまけて、そして彼への甘えもあって、その声に真摯に耳を傾ける努力を怠っていた。そして、その言葉通りの行動を彼はとり、次に迷惑をかけないように、きちんと後任を見つけ、丁寧に引き継ぎをしてくれた。

彼がいなければ上場を果たせなかったことは事実で、彼の功績には変わらず感謝している。直後はさすがにショックで人間不信になりかかったが、反芻《はんすう》を重ねて気持ちを整理し、「仕方がなかった。お互い頑張ろう」と結論づけ、一緒にご飯も食べられるまでになった。

ところで、僕自身はどうだろうか。起業家の中には、〝上場ゴール〟で多額の資産を得ることを目的にし、実行して達成感を覚える人も少なくない。

一度だけ、「もしもマネーフォワードを売却したとしたら、何をするか」という話を瀧としたことがある。

「どうせまた同じことを始めるだろうな。結局お金のためではなくて、自分たちの心からやりたいことを今やってるもんな」

と笑って、その話は一瞬で終わった。

問題社員の乱

少々重い話が続いたかもしれない。話を戻そう。

採用を急いだことによるひずみは、思わぬ形で現れた。即戦力となるスキル重視で採用を進めた結果、ほんの数人ではあるが、組織の空気を乱すメンバーが交じってしまったのだ。

基本的に人を信じる僕は、予想外の行動をする社員に面食らった。

その人物は社内のメンバーが不快に感じるような行動やリスペクトを欠く発言を繰り返し、ほどなく会社を去っていくことにはなるのだが、「問題行動が起きるのは、採用の基準やプロセス、組織づくりや、我々経営陣のマネジメントスキルに問題があるからではないか」という課題に僕らは行き着いた。

一連の失敗体験から採用基準やプロセスを見直すと共に、エンジニアのストレスや不満を早期に吸い上げて問題を解決する〝守り〟の組織体制を導入することにしたのだ。

具体的には、エンジニアの中から数名を選抜してマネジャー職を任せ、現場をよく知るリーダーが課題を発見し、早期に解決するシステムをつくっていった。

これを主導したのはエンジニア出身の中出なのだが、導入の仕方が実にスマートだった。

まず、マネジメントの専門職を外部から呼ぶのではなく、前述のように内部から選抜する方式をとった。「今のマネーフォワードのエンジニアの課題を当事者として理解している」ことを重要視したためだ。

ここで乗り越えるべき次の問題は、その役職に就くことに対するモチベーションコントロールだった。当たり前だが、エンジニアはものづくりが好きな人間だ。「マネジメントはやりたくない」という反応が返ってくることは、過去の経験からも容易に想像できた。

そこで、マネジャーになった場合の待遇を数百万円単位で大幅に引き上げ、職務内容も事前に具体的に示した上で、本人に選んでもらうようにした。一方的な辞令ではなく、本人の主体的な意思選択でマネジャーとしての道に進んでもらうというステップにした。こういう「オープンさ」がエンジニアに対しては特に重要なのだと中出は教えてくれた。

本人が納得した上で、新しい役割を担ってもらうことができ、とてもうまく機能している。「VPoE（Vice President of Engineer）」と呼んでいるエンジニア専門マネジャー職は、現在4人にまで増えている。

このシステムが組織内のトラブルを未然に防ぐ〝守り〟だとしたら、〝攻め〟の組織づくりは2016年に完成させた「MVVC（ミッション・ビジョン・バリュー・カルチャー）」だろう。

僕のリーダーシップの反省点も交えて、次の章でじっくりと述べていこうと思う。

送り付けられた訴状……マネーフォワード、訴えられる!?

もう一つ、僕たちの「結束」や「組織としての使命感」を強めた体験について、話しておこう。

この体験は大きな痛みを伴うものだったのだが、結果的に、僕たちをより強くする転機となった。それは、〝訴訟騒動〟だ。

2016年10月、僕たちは、同業種のA社に突然訴えられてしまった。訴訟の対象は、その2カ月前にリリースした「自動仕訳機能」。企業向けに提供しているクラウド会計の一機能で、会計処理をするときに、「JR」と入力したら勘定科目の欄に「旅費交通費」と自動入力されるような便利な機能だ。お金に関するストレスを解消するためには不可欠であり、開発中からユーザーが喜んでくれる顔が浮かんでいた。

この機能を僕たちは独自の技術で開発してきたのだが、リリースするや、A社から「特許侵害がある」と指摘が入ったのだ。まさに、寝耳に水だった。

社長室に届いた郵便物をチェックしていたら突然目に飛び込んできた「内容証明」の文字。

ん？？？

見慣れない文字に、思わず、それが書かれた紙を封筒の中に引っ込めてしまった。もう一度、そーっと取り出してみる。やっぱり「内容証明」と書かれてある。瞬間、僕はヘルプの声をあげた。

「バンちゃーん！！！」

バンちゃんとは、現・執行役員でCLCO（最高法務・コンプライアンス責任者）の坂裕和のこと。SBIホールディングスの社長室長を経て、2016年にジョインしてくれた。弁護士資格を持ち、うちの管理部門を守る〝鉄の番人〟だ。

司法試験を受けた後に司法修習が始まるまでの半年間だけ、契約社員としてマネックス証券で働いていた時期があり、そのときに僕はバンちゃんと知り合ったのだが、当時から彼のプロフェッショナルな仕事ぶりに惚れていた。

「これ、どうしたらいいの？」

と差し出すと、坂はサッと文に目を通し、

「なんですか、これ」

と驚きを隠さなかった。そして、差出人の名前を確認して、さらに目を丸くした。

「まさか、ここから」

A社は、会計のクラウドサービスを展開するスタートアップ。マネーフォワードとほぼ同時期に創業した〝ライバル〟だ。確かに競争相手ではあるのだが、金融のイノベーションという同じ目標に向かって、お互いに刺激し合える存在になれるような気がしていた。

僕が単純で甘かったのかもしれない。けれど万が一、刺されるとしたら既得権益を守ろうとする旧態の大企業だろうと思っていた。同じ未来を目指していると信じていたスタートアップから矢が飛んできたことが、ショックだった。

坂も戸惑っている様子だったが、すぐさま対応を練ってくれた。当初の僕らの見立ては、話し合いで解決できるだろうというもの。実際、その後、相手方と直接会って話をして、文書のやりとりを続けた。僕たちの技術は独自のものであり、A社の特許を侵害するものではないことを説明した。しかし、相手はすぐに解決するつもりはなかったようだ。

交渉が不自然に打ち切られた直後、今度はなんと「訴状」が送られてきた。僕らは本格的に訴えられてしまった。誠意を持って話し合いのテーブルについていたつもりだったのだが……。

当時を振り返って、ある幹部は、

「白昼堂々、背後から刺されたくらいの衝撃」

と言っている。

一方で僕は、「特許というのは、会社が技術に投資して得た権利であり、A社がその権利を主張するのは全く問題ない」とも思っていた。僕たちの自動仕訳の技術がブラックボックスである以上、先方の特許を使っているかどうかは、先方からはわからない。とすると、どんな技術を使っているのかも我々に聞かないとわからず、その意味では訴訟という手段も、法律に則った正当な手段だ。

ただ、僕は、二重の想定外という意味で、その真意が理解できなかった。

まず、それが「オープンソース（商用・非商用の目的を問わず、ソースコードを誰でも自由に利用・変更・配布できるソフトウェア開発の手法）」の恩恵を誰よりも受けながらサービスを開発しているソフトウェアの世界で起きたという想定外。そしてそのカルチャーの大切さを誰よりも理解しているはずのスタートアップがスタートアップを訴えるという想定外だ。

不可解ではあったが、とにかく訴えられてしまったのだから、正面から対応するしかない。

何も後ろめたいことはなかったし、独自の技術だったので、負けない自信はあった。しかし、ただ勝訴を取るだけでは不十分だと考えていた。僕たちは、この訴訟をスピーディーに解決しなければならなかった。

理由は二つ。一つは、僕らが一刻でも早く本業に集中して、ユーザーへの価値提供にリソースを割きたかったから。当時は、ちょうど上場に向けての準備を急いでいる時期でもあった（わざわざその時期に合わせて、上場阻止のために相手が訴えてきたのかどうかは、確かめる術もない）。ユーザーから多くの開発要望をいただいている中、限られたリソースを訴訟対応のために割かなければならなかったことは、本当にツラかった。

そして理由のもう一つは、この訴訟を早期解決できるかどうかが、これからのフィンテック業界の〝空気〟を決めると思ったからだ。

僕たちは、世の中を良くするために、前のめりに転がるようにして進んできた。チャレンジする者がその途上で足を止める姿を見せてはいけない。この訴訟に万が一でも負けてしまうと、次のチャレンジャーが生まれにくくなる。だから、絶対に、短期決戦で勝つ――。

誰に言われたわけでもないが、僕は使命感に燃えていた。僕たちを信じて応援してくれているユーザーを心配させたくもなかった。

訴状が届いておよそ2カ月後の2016年12月8日、日経新聞の朝刊に「A社、同業のマネーフォワードを提訴」という見出しで記事が載った。

奇しくも、半期に一度の社員総会と同日。ユーザーからの問い合わせも数多く入る中、不安げに経営陣を見つめる社員たちの前で、僕は訴えられた経緯と〝この訴訟に勝つ意味〟を語った。

「真面目にやっているだけなのに、どうして訴えられないといけないのか」と壇上で涙する役員もいて、会場は重い空気に包まれていた。僕も、心から悔しかった。

「裁判を通して、正々堂々、自分たちは侵害行為をしていないことを主張して、証明できるよう、最善を尽くすことを約束する。それまでの間は、お客様に心配をかけるかもしれない。どうか現場のみんなで、これまで以上にお客様としっかりとコミュニケーションをとって、我々のバリューである〝User Focus〟を体現してほしい」

僕の言葉を、みんなも真剣に受け止めてくれた。災い転じて……ではないが、この一件によって社内の結束は強くなったように思う。


早く勝つためには、それを可能にするだけの戦術が必要だった。

戦術を授けてくれたのは、企業法務を扱う法律事務所の草分け、日比谷パーク法律事務所代表の久保利英明先生と、上山浩先生だ。久保利先生と上山先生は、単に勝訴にこだわるだけではなく、高い視座で僕たちが目指すゴールを理解し、導いてくださった。表には出ていないが、先生方を紹介してくださった方も僕の恩人だったし、両社に関係するある大物経営者も解決のために動こうとしてくれた。僕はつくづく、人に恵まれている。

結果は、第一審で勝訴。A社は控訴をしない方針を示し、そのまま結審となった。訴状が届いて9カ月足らずという、特許訴訟では異例のスピードでの解決。僕たちが持つテクノロジーのレベルの高さを証明することにもつながった。

僕はこの結果に心底ホッとした。と同時に、報道直後から沸き立ったネット上の反応に大きな力をもらっていた。そこで見られる声の多くは、訴えられた側の僕たちを支持するエールだった。

「マネーフォワード、頑張れ」
「テクノロジーの進化に訴訟は似合わないぞ」
「世の中を良くするイノベーターを支持する！」

日々直接関わっているユーザーだけでなく、これだけ多くの人たちが、マネーフォワードの存在を知ってくれていて、僕らの挑戦に期待をかけてくれているのか――。

これまで見えなかった無数のエールが可視化されるようで、僕は勇気をもらった。そしてますます、この期待を背負う責任を感じるようになった。

結果として、この訴訟は、僕たちの結束と使命感をより強固なものにしてくれたといえるかもしれない。

だからといって、また訴えられてもいいとは絶対に思わない。訴訟は、社員が受けるダメージが相当大きく、多くのリソースが取られ、その結果、ユーザーに価値を届けにくくなるからだ。

訴訟に対応するためには、弁護士の方々に僕たちの技術について細かく説明する必要があり、現場のエンジニアチームにも多くの時間を割いてもらわねばならなかった。

「辻さん、この時間を使って、もっとプロダクトの開発をしたかったですよ」

と漏らした、エンジニアの心底悔しそうな表情が今でも忘れられない。

訴えられてしまった一因は、特許などの知的財産に対する僕の認識が甘かったからだ。社員たちに悔しい思いをさせてしまったことは、本当に反省している。以後、僕たちは特許対策を強化するべく、知的財産の専門家を採用し、月に1回の定期ミーティングを開いて防衛策を講じ、隙のないようにと心がけている。

また、こんなことがあったA社とも、その後、共に色々な政策提言などをしているし、新しい世界を一緒につくり出せる仲間だと思っている。訴訟のときは、お互い未熟な点もあっただろうし、僕たちにもきっと至らぬ点があったんだろうと思う。「雨降って地固まる」ではないが、これからも、テクノロジーによって新しい世界を一緒につくっていけるよう、協働できるところはぜひ協働させていただきたい。

本章で紹介したアクシデント――平成30年北海道胆振東部地震とさくらインターネットのこと、仲間の社員の離脱、同業他社からのまさかの訴訟は、今振り返ってみると、僕たちの痛みともなり、そしてさらなる成長の糧ともなった。

皆さんが何かに挑戦していく中では、もしかしたら、僕たちが直面した痛みに勝るとも劣らない何かが、その行く手を阻むことがあるかもしれない。

そのときは、どうか、たった一人で悩み解決しようとしないでほしい。

僕に、手を差し伸べてくれた先輩方や仲間、ユーザーがいたように、信念を持って挑戦している人の周りには、支えてくれる人、見守ってくれる人、導いてくれる人が必ずいるはずだ。

組織も事業も、たった一人の力だけで荒波を越えていくことは難しい。しかし、知恵を絞り、力を合わせて諦めずに立ち向かっていけば、いつかは大きな波も越えていけるのだと、僕は信じている。

Chapter 7

リーダーとしての弱さと克服

組織が大きくなるにつれ、創業期には必要なかったことが、重要になってくる。

全員が毎日顔を合わせられる規模だった頃には、言葉でわざわざ表現しなくても、阿《あ》吽《うん》の呼吸で思いは通じた。

しかし、社員が100人、200人と増えてきた2015年頃から、暗黙知では通用しないことが増え、言語化の必要性をひしと感じるようになった。

全社員が白けたMVVC発表

「マネーフォワードの一員として、大切にしてほしい価値観や精神とはこういうものだ」「僕たちが目指す北極星はこれだ」と簡潔に説明できる言葉をいくつか持たなければいけない。

そんな危機感を抱いたきっかけは、前章で明かしたような悔しい別れやつまずきをいくつも経験したからだ。

急いで社員を増やした結果、内側でいくつもの行き違いや衝突が起こり、お互いを傷つけ合った。

体の成長に心の成長が追いついていない、思春期のような状態が何年も続いていた。

この体質を変えようという意識から、少しずつ〝攻め〟の組織づくりも始めていった。


一方で、メンバーをがんじがらめに縛り、細かく管理するようなルールはつくりたくない。

僕たちの組織の根底に置きたいのは「信頼」だ。個々のメンバーが自分の頭で考え、信念に沿って主体的に行動した結果が、組織が目指すゴールとも一致する。それが理想だ。

世間には、「右を向け！」「次は左だ！」と強硬に引っ張るトップダウン型が得意なリーダーも多い。引っ張る組織が大きければ大きいほど、そのほうがコミュニケーションのコストが安く済み、足並みが早く揃って結果を出しやすくなるかもしれない。でも、僕はそのタイプではないし、組織としても、できれば違う形を目指したい。

僕が描いているのは、どんなに人数が増えて大きくなっても、個人個人が自分の頭で考え自主的に動く民主的な組織だ。組織の上下関係にとらわれず、個々人が自由につながり合ってやり取りし合うインターネット的な組織をつくっていきたいし、そういう組織で競争に勝ちたい。

この考え方で、多くの仲間がジョインし、日々成長する会社を、どこまで運営できるものか。これも一つの挑戦なのだ。


手始めに着手したのは「クレドカード」の制作だった。

「クレド」とは、企業の経営理念を具体的な行動として示した言葉を意味する。

創業してすぐにつくった行動指針の10項目「マネーフォワード（MF）ウェイ」をベースに、社員がいつでも携帯できるようなクレドカードをつくりたいと、デザイナーの金井恵子にお願いした。


金井はもともと制作会社でクライアントワークをやっていたが、「デザインした後の結果まで責任を持てる仕事がしたい」と設立2年目のマネーフォワードにジョインしてくれたデザイナー第1号だ。以来、プロダクトデザインに携わっていた。

「カードの制作」というデザイン作業が発生する仕事だったので、金井に声をかけたのだ。

Money Forward

行動指針

1. ともに走り続ける仲間に、無限の感謝と信頼を。
2. 生き残れるのは「最速」か「最高」のみ。速さはすべてを凌駕する。
3. Work Hard. そして、家族を幸せに。
4. 最高のものは、いつも自分たちのアイデアから生まれる。
5. ユーザー！ユーザー!! ユーザー!!!
6. 建前は厳禁。本当に必要な価値を、貪欲に追求する。
7. マーケットは世界。日本発のグローバルスタンダードを。
8. リスクを取らないことこそ、最大のリスクである。
9. 勝ちきれ。やりきれ。ベンチャーは、成長がすべて。
10. ベターで止まるな、ベストを目指せ。それがプロフェッショナルだ。

「 お金を、前へ
人生を、もっと前へ 」

平成26年2月15日
株式会社マネーフォワード

スタートアップ期の行動指針「マネーフォワードウェイ」

この後、意外な展開があった。さっそく取りかかっていた金井が急に、

「今のままのMFウェイではクレドカードをつくれません」

と言ってきたのだ。

「現状では文言がマネーフォワードらしくなくて、ついていけないメンバーが続出すると思います。私もしっくりきません。浸透しそうにないものをつくるのは嫌です」

ええっ、そうなのか……？　と意表を突かれた。

当時のMFウェイには「勝ちきれ。やりきれ。ベンチャーは、成長がすべて。」「Work Hard」など体育会系のワードが踊っていたが、それがいけなかったのだろうか。

「新しく入ってきたエンジニアたちにも理解しやすい言葉を練って、MVCとしてつくり直してみます」

と金井が言ってくれたこともあり、僕もめちゃくちゃ忙しかったので、全面的に任せることにした。ちなみにMVVCとは、ミッション・ビジョン・バリュー・カルチャーの頭文字を取ったもので、組織の使命、目標、価値、行動指針となる文化を言語化したものだ。

僕ら経営陣が押し付けるのではなく、現場からのボトムアップで出てくる言葉のほうが浸透しそうだな。そんな期待を持って、僕は金井に全面的に任せた。

しかし、これが結果的に丸投げとなり、その後の失敗につながってしまった。

数カ月待って完成したMVVCを、いよいよ発表するその日。

全社員の前に立って話し始めた僕は、まるでフワフワと宙に浮いているようで、一つひとつの言葉の意味をうまく説明できなかった。

何度も言葉に詰まり、挙句の果てに、

「金井ちゃん、これ、どういう意味やったっけ？」

会場全体が一気に白け、隣の金井の顔は真っ青になっていた。

直後の社内アンケートでもボロクソに書かれ、僕も金井もドン底まで落ち込んだ。

「やっぱり社長の僕が、腹の底から語れる言葉でないと、誰も納得しないよな」

みんなをまとめようと考えて行動したつもりが、まったく逆の結果になってしまった。深く反省し、今度は経営陣がしっかりとコミットする決意を持って、仕切り直しを決めた。

そしてカルチャーを生む基盤が生まれた

金井も強い思いでリベンジに燃えていた。

「マネーフォワードで働く上で、大切にするべき思想や行動は何なのか？」という議論を週に1回、経営陣で集まって半年間も続けた。

金井は人事部長（当時）の服部穂住と一緒になって、経営陣の一人ひとりにインタビューをして、「なぜあなたは今ここにいるのか」「ここで何を成し遂げたいのか」というストーリーを聴き取り、全員が腹落ちする共通の言葉を探っていった。

僕たち経営陣にとっても非常に意味のある時間になった。「わかっているつもり」でも、意外とわかりあえてない。言語化することで本質がより明確になることは多い。

そして、生まれたのが、僕たちのMVVC――ミッション・ビジョン・バリュー・カルチャーだ。

Mission

お金を前へ、人生をもっと前へ。

「お金」とは、人生においてツールでしかありません。しかし「お金」とは、
自身と家族の身を守るため、
また夢を実現するために必要不可欠な存在でもあります。
私たちは「お金と前向きに向き合い、
可能性を広げることができる」サービスを
提供することにより、ユーザーの人生を飛躍的に豊かにすることで、
より良い社会創りに貢献していきます。

Vision

すべての人の、「お金のプラットフォーム」になる。

オープンかつ公正な「お金のプラットフォーム」を構築すること、
本質的なサービスを提供することにより、
個人や法人すべての人のお金の課題を解決します。

Value

"User Focus"

私たちは、いかなる制約があったとしても、常にユーザーを見つめ続け、
本質的な課題を理解し、
ユーザーの想像を超えたソリューションを提供します。

"Technology Driven"

私たちは、テクノロジーこそが
世界を大きく変えることができると信じています。
テクノロジーを追求し、それをサービスとして社会へ提供していくことで、
イノベーションを起こし続けます。

"Fairness"

私たちは、ユーザー、社員、株主、社会などのすべてのステークホルダーに対して
フェアであること、オープンであることを誓います。

マネーフォワードのミッション（M）・ビジョン（V）・バリュー（V）

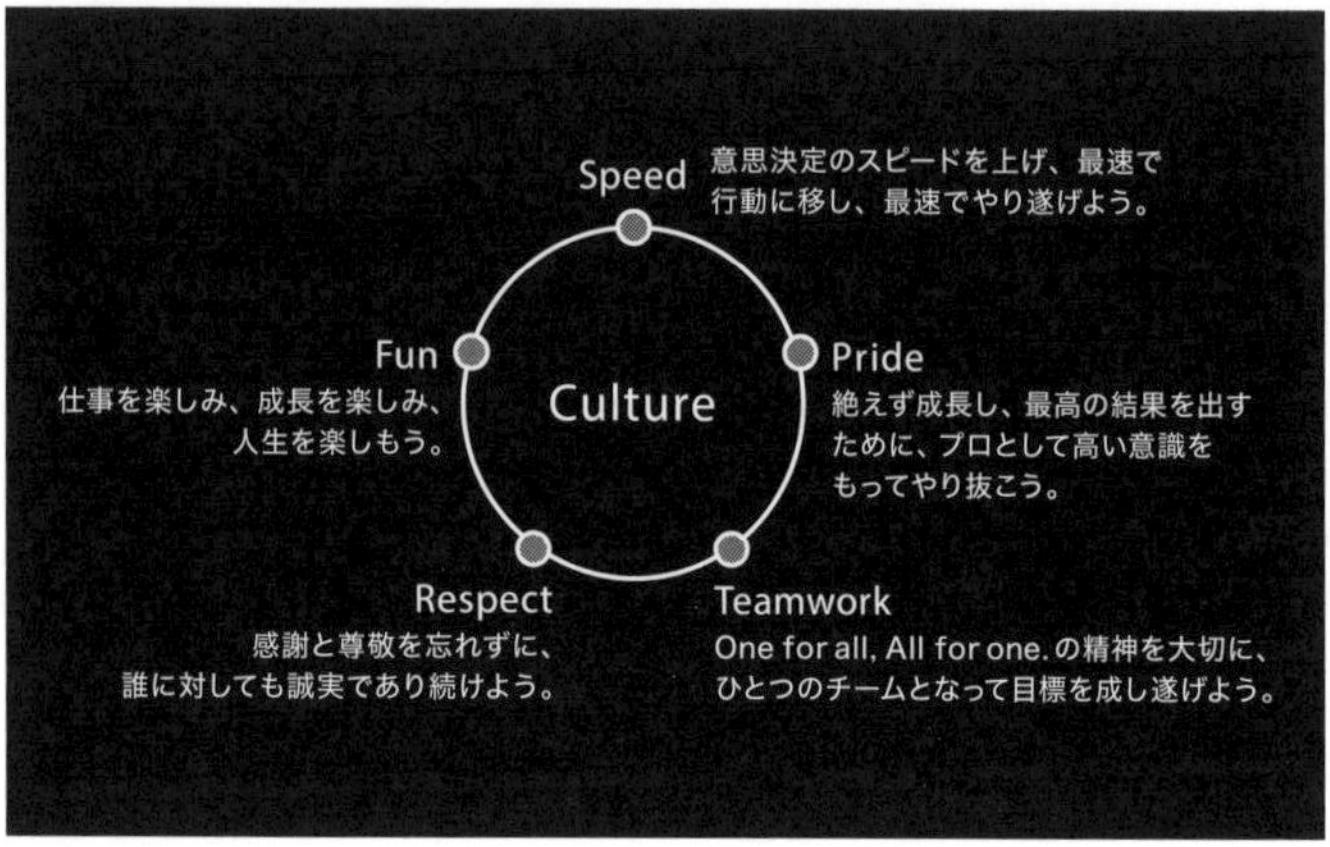
Culture
Speed
意思決定のスピードを上げ、最速で
行動に移し、最速でやり遂げよう。
Pride
絶えず成長し、最高の結果を出す
ために、プロとして高い意識を
もってやり抜こう。
Teamwork
One for all, All for one.の精神を大切に、
ひとつのチームとなって目標を成し遂げよう。
Respect
感謝と尊敬を忘れずに、
誰に対しても誠実であり続けよう。
Fun
仕事を楽しみ、成長を楽しみ、
人生を楽しもう。

カルチャー（C）

ミッションとビジョンに関しては創業期から揺るがないものだったが、行動指針に直結するバリュー・カルチャーをここまで絞ったのは初めてのことだった。

特に、「マネーフォワードで働く僕たちが大切にする価値」を凝縮したバリューは、3つに絞るまで苦労した。

理想を掲げるのは簡単だが、今の自分たちと遠すぎるものだと腹落ちしない。今この時点で毎日大切にできている価値の中から、将来も大切に持ち続けたい価値を厳選していった。

「辻さん、まだ8つも並べているんですか。もっと絞れるはずですよ」

とたしなめられながら練りに練り、絶対に離したくない価値だけが手元に残った。

今度は一字一句、魂を込めて、自分の言葉として、社員の前で発表できた。

僕の話を聞いてくれている社員たちの目の奥、その一つひとつに火が灯っていくように、僕には見えた。

傷ついた者だけが得られるもの

大きな失敗を経て完成したこのＭＶＶＣは、マネーフォワードという船にとって強力な帆となった。

風を受けて、さらに前へ。タフな推進力が備わったと思う。

嬉しいのは、僕ら経営陣だけでなく、現場の隅々にまでＭＶＶＣが浸透し、活用されていることだ。

各部門のミッションを決めるときにもＭＶＶＣがしっかりと落とし込まれていて、ブレがない。そういえば、僕が取材などで外部に向けてする発言もブレなくなったと褒められる（以前はそんなにブレていたなら、それはそれで問題だが……）。

深刻な課題だった採用のミスマッチも、未然に防げるようになった。

ＭＶＶＣを軸に置いて採用活動を進めるので、そもそも僕らのバリューやカルチャーに合わない人が入社する可能性が激減したからだ。

また、ＭＶＶＣに基づく評価や表彰を繰り返すうちに、極端に価値観が合わない社員は自然と去っていく作用もあったと思う。これは寂しいことでもあるが、人も会社も千差万別であり、それぞれが大事にする価値観がある。どっちが正しいという問題ではない。合わないのにずっと居続けるのは、本人にとっても持っている実力を出しきれず、評価もされにくいので不幸なはずだし、会社としても高いゴールを目指すために、同じ方向を向いたメンバーと共に仕事に取り組み、出力を最大化したい。

さらに、自分たちのカルチャーを内にも外にも明確に発信できるようになったことで、Ｍ＆Ａ（僕たちは、この言葉は使わず、「グループジョイン」という言葉を使うが）におけるカルチャーギャップ解消にもつながった。

僕たちのMVVCに共感し、同じ温度で同じ未来に向かう気持ちがある人たちと〝仲間〟になれる。

自動記帳ソフト「STREAMED」を提供するクラビスの菅藤達也（2017年にグループジョイン）。もともとお客様だったが、あまりに志が似ていたため、一緒になることで、よりユーザーに大きな価値が届けられるとジョインを決めてくれたナレッジラボの国見英嗣（2018年）。SaaS（Software as a Service）マーケティングの領域でナンバーワンプラットフォーム「BOXIL」を提供する若き起業家のスマートキャンプの古橋智史（2019年）。消し込みサービスで国内ナンバーワンのシェアを誇る「V-ONEクラウド」を提供するアール・アンド・エー・シーの高山知泰（2020年）。

志高く、ユーザーの役に立つサービスを地道に誠実につくり続けてきた経営者たちだ。

グループ会社になってからも、「買収した会社・された会社」という感じの上下関係はなく、同じ志を持つ強力な仲間として、ワクワクしながらさまざまな新しい取り組みを一緒に推進している。

クラビスCEOの菅藤は、今や執行役員CSO（Chief Strategy Officer）も兼務し、グループ全体の戦略を担当、クラビスCFOの竹田正信は、取締役執行役員ビジネスカンパニーCOOとして、当社最大の事業部門の責任者だ。

スマートキャンプの古橋は、

「辻さんは気づいていないと思いますが、マネーフォワードの経験、ノウハウは本当にすごい。この財産をもっと次の世代に共有すべきですよ！」

と、マネーフォワードCFOの金坂直哉と共同代表を務める形で、子会社マネーフォワードベンチャーパートナーズを設立し、前述のアントレプレナーファンド「HIRAC FUND」を立ち上げた。

このファンドは、テクノロジーによる社会課題解決を目指すスタートアップ支援を目的にしたものだ。僕ら自身も未来を変えるチャレンジを続けながら、古橋の言葉通り、僕たちの経験、ノウハウ、ネットワークなどの財産を共有しながら、新たなチャレンジャーを応援する。そんな役割を担っていく決意で始めた。

このように、自分たちの自分たちによる自分たちのためのMVVCをつくったことは、組織の成長をいくつもの角度から後押ししてくれた。

時を巻き戻して起業を考え始めた頃の自分に「早めにちゃんとMVVCを決めるといいぞ」と助言できるとしたら……。ワンルームマンションを出る頃に今のMVVCをつくれていたとしたら、傷つくほどの消耗を避け、恥をかかずに済んだだろうか。いや、おそらく、それはできなかったはずだ。僕たちは、失敗したからこそ必死になれた。

当時のツラい状況を思い出すともう二度とやりたくはないが、あの経験も無駄ではなかったと思いたい。

他力を集めて最強になる

この本の冒頭にも書いたが、僕は強くて完璧なリーダーではない。

でも、弱さを武器にして「周りの力に助けてもらいながら、チームとしての出力を最大化する」という逆説的な強さを持っている。

本を書くにあたって、僕の印象を社員にヒアリングしてもらった。すると、「何か意思決定をするときに、『○○だったらどうする?』とフラットに聞いてくれる」という意見が何人かから挙がったらしい。

確かに、僕はしょっちゅう社員に意見を聴く。でも、別にやさしくしたいから話を聞いているわけではない。自分が何でもわかっている完璧な人間だとは思ってもいない。信頼できる仲間の意見が、僕たちのミッションを実現していく上で本当に必要だから、聴いているだけだ。

単純に、もっと良いものをつくりたいから、ユーザーに喜んでもらいたいから、もっと世の中に立つ仕事をしたいから、そのためには、少しでも多くのアイディアが必要だから、僕は人に聴きまくる。

社内だけでなく、経営者の大先輩や、自分より年若の起業家にも直接話を聴いてインプットすることが何より楽しい。もうこの世にいない名経営者が遺《のこ》した本も読み漁った。すべて、僕を補強する筋肉になっている。

本当によいものは、たった一人の才能ではなく、叡智《えいち》の結集でつくられる。僕はそう思っている。

関連して、組織が大きくなればなるほど経営者やマネジメント層が悩むこと――「権限委譲」についても僕なりの考えがある。

人生をかけて起業した経営者にとって、会社はわが子のようにかわいいものだ。自分自身と切り離して、誰かに任せることを嫌がる経営者の気持ちはよくわかる。けれど、権限委譲をしなければ、組織は大きくならない。

いかにトップが仲間を信じて任せられるかが、組織の成長には欠かせない。ただ、「権限委譲が大事だから」といって、ただ権限だけを委譲して、うまくいかなくなったケースは山ほどある。

では、権限委譲をしながら、目的を達するためには何が必要か、そのために必要なことは二つある。

一つは、信じて任せるためのスキルを身につけること。具体的には、「能力と課題のマッチング」の精度を高めることだ。

人が成長するには、能力よりも少しだけストレッチが必要な課題を乗り越える経験が有効だといわれている。だから、その人の能力を冷静に見極めた上で、最適なサイズの課題を与えて任せてみる。能力を見極めるには注意深い観察力が必須。一番の判断材料は実績だと思っている。

そして、いったん任せた以上は、結果的に失敗したとしても、本人のせいにはしない。本人の現時点の能力と課題の相性が悪かったことが原因であり、マッチングを誤ったトップの任命責任だ。

もう一つ、「任せる」ときには、〝内発的動機〟も重要なポイントになる。

これまでよりちょっと背伸びが必要な課題を乗り越えようとするときに、「上からやらされている」という感覚で臨んでいては本来のパフォーマンスは発揮されない。逆に、自らの意思で飛び込むチャレンジには必ず成長がついてくる。そして個人の成長は、組織の成長にそのままつながる。

だから僕は本人から「これをやってみたい」と発案されたら、よほどの理由がない限りは任せるようにしている（もちろん、「きっと結果を出してくれる」と信頼できるだけの実績があることは大前提だ）。

任せるリーダーを選ぶときには、年齢や社歴は一切考えない。僕は日本企業によくある「年功序列体質」が大嫌いだし、そんな悠長な選択をする余裕はない。実績、能力、信頼、この三つを高い水準で揃える人物を積極的に指名する。

例えば、企業間後払い請求代行サービスを提供する子会社、マネーフォワードケッサイを立ち上げた冨山直道が、この会社の社長になったのは30歳のときだった。

5年ほど前、

「何か新規事業できないかな?」

と聞いた僕に、

「絶対にこれをやるべきですよ」

とよどみなく語った冨山の熱意。それがこのサービスの始まりだった。

「じゃ、冨山がやってよ」

とその場で返すと、

「え、僕がやるんですか?」

と驚いていたが、その後、同じく超優秀な20代のエンジニア丸橋得真《えるま》と二人三脚であっという間に事業開発を進め、4カ月後には会社設立の記者発表会で僕と握手していた。

MVVC制作でリーダーシップを発揮してくれた金井は、「会社にとって重要な仕事を、ただのデザイナーの私に任せてもらえたことに驚いた」と言っていたらしいが、僕はパフォーマンスを左右するもっとも重要なカギは、内発的動機の強さだと思っている。そして、その通り、最高のMVVCが生まれた。

さらにいえば、金井がやって見せてくれた仕事は、「デザイナー」という職種の役割そのものを広げてくれた。

入社直後はひたすらビジュアルデザインをつくっていた金井が、組織の幹となるMVVCを策定し、2020年には「People Forward本部」の立ち上げに寄与した。マネーフォワードのミッション「お金を前へ。人生をもっと前へ。」を実現していくためには、物事をForwardしていく、前に進めていく社員の存在が欠かせない。そんなForward人材をどのように増やしていくのか。そして、何より大事な会社文化、カルチャーをどう醸成し、浸透させていくのか。採用、育成、評価、カルチャーづくりなど人事部門にはさまざまなミッションがあるが、その役割をデザインの力でアップデートして、マネーフォワードのミッション実現につなげていこうとする新しい試み。これが、「People Forward本部」だ。

会社がまるで生き物のように絶えず形を変え、予想しない変化を遂げていることが僕は嬉しい。

そしてもう一つ、信じて任せるために重要な大前提がある。信頼できる仲間を集めることだ。

誰と仲間になるか

誰をバスに乗せるか。これはジム・コリンズが書いた『ビジョナリー・カンパニー2：飛躍の法則』の第3章の見出しとして有名なフレーズだが、僕はやはり仲間に恵まれてきたと思う。

特に、それぞれの部門を任せているリーダーたちは、「これ以上の人物はいない」と自負している。

この本を書くにあたって、

「辻さんが仲間にしたくなる人の共通点は何ですか？」

と聞かれたので、あらためて考えてみた。

まず、専門的な実務能力を備えていることは当然として、僕が重視しているのは人間性だ。

根が明るくて、嘘をつかないこと。「この人となら一緒にやっていきたい」と周りのメンバーに思わせる人間性がなければ、大きな仕事は成し得ない。

さらに加えるとしたら、「これまでの人生で勝ち続けてきた人」。当然、いつも勝ち続けることはできない。でも最終的に結果を出している人というのはどういう人なのか、それはつまり、成果を出すまで投げ出さなかった人だ。最後まで諦めずにやりきる人と、僕は一緒に働きたい。

そんなメンバーと一緒に働くことで、勇気ももらえるし、当初は「とても無理だ」と思っているような高みにも、最終的には一緒に登っていける。

今いる顔ぶれを浮かべると、一人ひとりの情熱と能力の総量が僕らの強みだと感じる。「テクノロジーの力でお金の課題を解決したい、世の中をもっと良くしたい」という本気の思い、共感を携えて、一緒に走ることを決めてくれた仲間ばかりだ。

金融に詳しく、インターネット業界の経験もある人材というと、高い年収を約束されての転職も容易にできるはずなのに、わざわざ儲け下手のスタートアップに入ってくるなんて、普通に考えるとクレイジーだ。でもそのクレイジーな選択をしてくれた仲間たちがいるから、投資家も高い期待を寄せてくれている。「このメンバーなら、きっとやってくれるでしょう」と。

経営にもエモーショナルを

会社の成長は、開発、デザイン、営業、マーケティング、バックオフィス、広報、カスタマーサポートなどといった会社を支える各部門のうち、もっとも弱い部門の能力がボトルネックとなり、阻害される。

プロダクトが魅力的であれば、最初は成長するかもしれない。ただ途中で、例えばバックオフィスが弱ければ、殺到する注文に対応できず、中長期的に失速する。

経営者は、プロダクトや営業に目が行きがちだが、中長期的に成長を続けるためには、会社のオペレーションを司る各機能を増強し続けなければならない。

そんな思いで各部門のリーダーに最強の仲間を集め、それが僕たちの成長のエンジンになっている。

まだうまく説明できないのだが、僕は経営にはロジックだけじゃないエモーショナルな判断が勝るときがあると信じている。

「ないものをつくる」という未来志向に立つならば、既存のロジックでは説明不能な感覚的な判断も重視すべきだ。言語化できるという時点で、それは他の人も見えていて、ロジックで説明できてしまう世界だということ。

未来を想像し、自分たちを含め少数の人にしか見えていない世界があるのではと思ったときの直感や感覚は非常に大事だと思う。

また、もう一つ大事な点は、ユーザーはロジックだけでサービスを選び使ってはいないということだ。人間は感情の生き物だ。合理的に判断しているように見えて、エモーショナルに判断をしていることがよくある。数字だけで判断すると、時にユーザーの本当のニーズを見誤る。

僕がエモーショナルを大事にしていることをよく知っているメンバーたちは、

「また辻さんが思いついちゃったよ」

と半笑いしながら、飛んできたボールをキャッチし、実行まで持っていこうとしてくれる。

これがマネーフォワードという会社を、前へと進めてくれる原動力でもある。

僕は自分がエモーショナルな人間だから、議論がロジック、合理的すぎるときの、右脳派のメンバーの居心地の悪さもわかる。会議では、現時点の正解が説明しやすい、定量的に証明されやすい左脳派に論破される場面も多く、意気消沈しがちな右脳派の彼・彼女たちの声も生かされる組織を僕はつくりたい。

だから、大事な意思決定のときに、右脳派のメンバーに「どう思う?」と直接意見を聴いたりする。根拠の説明を過度に求めることもしない。なぜなら、ユーザーがサービスを使ってくれるときは、ロジックに加えて、エモーションでそのサービスの好き嫌いを判断していることが多いから。

左脳派・右脳派、どちらも共存でき、活躍できる組織が強いはずだ。

明け方のコンビニで泣いていた

泥にまみれながらも、勝てるまで一緒に走ってくれる仲間たちの存在は、何にも代え難い宝だ。

採用がうまくいかず、エンジニアチームが混乱し、開発が停滞していた頃のことだ。

僕が早朝6時頃に出社するときにオフィス近くのコンビニに立ち寄ると、すれ違いに出てきたヘルメット男が、

「辻さん、お疲れ様です」

とかすれた声で話しかけてきた。

創業間もない頃から一緒に働いてきたエンジニアの黒田直樹だった。黒田は当時、自宅に帰る時間を惜しんで温浴施設「大江戸温泉物語」で寝起きをし、必死に開発をしていた。ヘルメットの奥の目をのぞくと、なんと黒田は泣いていた。

会計のリファクタリングという作業がツラくて、先が見えなくて、でもなんとかやり切らないといけなくて……。彼は底知れない大きなプレッシャーと闘っていた。黒田の目が真っ赤だったのは、泣いているからだけではなかった。彼が夜通し、寝ずに働いていたことはすぐにわかった。マネックス時代から一緒で、「テクノロジーの力で、ユーザーに良いサービスを届けたい」と言い続けてくれた同志が苦しんでいることがツラかった。

このときばかりは、「僕は間違っているのかもしれない」と思ってしまった。けれど、黒田は逃げることなく、共に乗り越えてくれた。

その後、MVVCの策定などを経てマネーフォワードが組織として一皮も二皮も剥《む》けて、上場も果たした後のことだった。誠実に情熱を注ぎ続けてくれた黒田を、本気で怒らせてしまったことがあった。理由は僕の不注意からなる完全な失態だ。

買収予定だった企業のプロダクトが、たまたま黒田が社内で手がけていたプロダクトと重なっていたのだが、社内でも少数で買収計画を進めていたため、事前に黒田にその情報を伝えていなかったのだ。インサイダーに抵触するため情報はほんの少人数しか共有できない案件だったからだが、よく考えれば黒田にはしっかりと伝えて説明をし、ディスカッションしておくべきだった。

上場後、既存業務やM&Aなど多忙を極めていて、そんなことすらも想像できていなかった。僕が黒田に対して配慮のあるコミュニケーションをしておくべきだった。

「辻さん、これ何ですか？ 僕、もう辞めます」

公式リリースの発表直後、飛んできたチャットに背筋が凍った。長い付き合いから、黒田が一度決めたら引き下がらない、意見を変えない男だと知っていた僕は、自分を責めた。


僕はなんてバカなんだ！ こんな誤解で仲間を失うと、絶対に一生後悔することになる——。

僕は必死に黒田を引き留めた。頭を下げ、弁解した。地方の拠点を任せていた黒田と直接会うために、時間を捻出して空港で待ちぶせし、15分間だけ話をしたこともある。買収する会社の社長と話せばわかってくれるかもしれないと頼んで引き合わせたり、黒田が社内でもっとも信頼している市川に事情の説明を頼んで退職を引き留めたり。信頼を回復しようと、僕は走り回った。あのときの、ヘルメットの奥の涙目がいつも浮かんでいた。

先輩経営者に僕の失態を打ち明けて「どうしたらいいのでしょうか」と相談すると、「辻くん、そのメンバーに対する愛がきちんと伝わってなかったんだね。愛はきちんと伝えないと、伝わらないよ。彼をちゃんと抱きしめて、いかに大事に思っているか伝えてあげなさい」

と言われた。僕は素直に受け止めて、本当に抱きしめに行った（もちろん精神的な意味で）。

このときに僕が学んだのは、「大切にしたい相手には、きちんと感謝と敬意を伝えなければいけない」ということだ。

家族や友人、すべての人間関係において、同じことがいえると思う。いてくれて当たり前、と思ってはいけない。一緒に築いてきた時間、培ってきた価値を守れるように、「ありがとう」を伝える。「君がいるから、助かっている」と言葉や行動で表していく。

大切な仲間を失いかけた経験から、僕は以前よりも「ありがとう」を伝える意識を強く持てるようになった。感謝を伝え合える文化は、助け合って生き延びるタフな組織をつくるはずだ。

「嫌われたくない社長」でいい

「すぐに人を信じる」「誰とでも仲良くなる」「人から嫌われることはしない」。

昔から、僕はそんな言われ方をしてきた。事実、僕は人が大好きだし、一緒にいる人が「楽しんでいるかな」というのがすごく気になる性格だ。

ただ、経営者という立場になってからは、「このままでいいのだろうか?」と迷うことも、正直あった。

人から嫌われることを恐れず、敵を蹴散らしながら、這い上がっていく強いリーダーのほうが、あるべき姿ではないのかと不安がよぎることもあったのだ。

でも、あるとき、ボストン コンサルティング グループ日本代表を11年務めた御立尚資さん（現在はマネーフォワードの顧問）から、

「辻さんは、嫌われたくない性格を生かした目標設定をすればいいんです。自分自身がcomfortable（快適）に感じるやり方で経営することが、一番長続きするし、無理しないから大事だと思いますよ」

という言葉を聞き、僕の視界はスーッと明るくなった。御立さん自身もそれを実践して、成果をあげてこられたという話に希望を感じた。

そうか、人から嫌われたくない自分のままでいいんだ。

ありのままの嘘のない自分の強みを発揮できるリーダーを目指していこう。

最近、聞かれるようになった「オーセンティック・リーダーシップ」という概念にも近いかもしれない。

どんなに頑張ったところで、僕は人と一緒にやっていくことが好きだし、無駄な衝突はしたくない、できるだけ嫌われたくないのだから、しょうがない。

そう開き直ってしまえば、堂々と「みんなと楽しく、できるだけ喧嘩せず、仲良くやっていこうぜ」と言える。

要は、ユーザーが幸せを感じられる価値を届けることが一番。そのゴールを見失わずに、効果を最大化するには、無理せず継続して、みんなと楽しく取り組める方法がいい。

僕の性格上、他人がせっせと広げたマーケットを奪ったり、壊したりするのはあまり好きじゃない。

日本のビジネス社会においては、喧嘩をすることによって得られるメリットより負のコストのほうが高いのではないだろうかとさえ考えている。

奪わないイノベーションを目指して

甘い考え方かもしれないが、僕は、相手が今、大切にしている何かを奪ってまで、イノベーションを起こしたいとは思わない。それは、結局ユーザーを幸せにするという目的とは違うのでは、と思うからだ。

だから、営業に行っても相手に心からわかってもらうことに力を入れた。最後は、人は感情で動く。だから、相手の感情を敏感に感じ取るための行動を重ねることが重要だ。インターネット企業としては意外に思われるかもしれないが、僕たちは創業して間もない頃から、できるだけ日本各地へ法人向けの営業に出かけていた。

「毎月の会計作業をもっとラクに効率的にしませんか？　今、どんなことで困ってらっしゃいますか？」

と現状を理解し、どうすればお役に立てるかを考えていた。目的はやはり、ユーザーの生の声を聴き、どうすればユーザーの課題を解決できるのかを知りたかったからだ。

創業期の営業は本当に泥臭かった。

雑居ビルに入る会計事務所を訪ね、説明を重ねて、ようやく取れる契約1件の売上げは年間2万円程度。営業担当からため息まじりに、

「いつまでこんなこと続けないといけないんですか」

と不満の電話がかかってきたこともある。

北海道に営業に行ったときには、同行した北海道支社長（当時）の山本華佳が、「ここで契約が取れないと辻さんの飛行機代も出ないんです！　お願いします！」と懇願するという奥の手を使っていた。山本は当社の営業組織をゼロから立ち上げ、1円を稼ぐことの大変さや急成長の苦しみを共に乗り越えてきたメンバーだが、さすがにこのときはびっくりした。そして僕は、尊敬の念と「ここまで言わせて申し訳ない」という気持ちとがごちゃ混ぜになった複雑な眼差しで、隣に座る山本の顔を見つめるしかなかった。


今では多くの方に使っていただけるようになってきた「クラウド会計」も、僕たちが日本各地に営業に行き始めた当時は半信半疑の目線を向けられていた。

「本当にセキュリティ、大丈夫なの？」

「辻さんが言っているような時代が本当に来るのかなぁ」

と首を傾げられるケースがほとんど。質問をしてくれるのはまだマイルドなほうで、大手会計事務所の重鎮の方々はただ黙ってじっと僕の顔を見るだけ。おそらく、この人間は信頼に足る人間なのかと、見極められていたんだと思う。20分、30分とひたすすら説明を続け、スーツの下は汗でびっしょりだった。

二度、三度通っても反応はほとんど変わらず、ツライ時間は続いたが、それでも諦めないと心に決めていた。企業のバックオフィスをクラウド化し、企業活動を効率化、改善していくためには、会計事務所の協力が不可欠である。

企業の経営者の良き相談相手は、いつも身近にいる会計事務所の方々であり、その方々に理解、納得していただかないことには前に進まない。それも、多くのクライアントをお持ちの大手会計事務所の方々に、理解、納得いただくことが、世の中を前に進めるには不可欠だ。

大きな山を動かすには、最初は重い岩を必死に押し続けなければならない。びくともしない岩が少しだけ動き、やがてじりじりと、そして一気に動き出す。

はじめは門前払いに近い扱いを受けていたが諦めずに通ううち、僕が本気であることを、次第に認めてもらえるようになった。

多くの企業の伴走者として業界をリードする会計のプロフェッショナルたちが、マネーフォワードの応援団になってくださった。特に、最初に僕に、

「税理士、会計士を動かすことが非常に重要だ」

という助言をくださったトリプルグッドグループの実島誠先生は、アドバイザーとして今でも支援いただいている。また、税理士法人アクシスの川人洋一先生は、僕たちのサービスがまだまだ未熟だった頃からいつも、

「これからは、クラウド、ＡＩの時代になる。そのときは君たちのような人たちが世の中を引っ張るんだ」

と、励ましの言葉をくださって、全顧問先にクラウド会計を導入してくれた。実島先生、川人先生は、共に上場の鐘もついてくれた。

その他にも、名前を挙げればキリがないほどの方々が、志を同じくして「地域企業のお金の課題を解消し企業を元気にして、地域を、そして世の中をより良くしたい」と奮闘している。お客様とサービス提供者という関係を超えて今では〝同志〟になれたことが本当に嬉しいし、この仕事をやってきて、途中で諦めないで、本当に良かったと思っている。

各地で営業を続けていると、地域ごとに反応が違うこともわかってきた。

これはあくまで僕の印象に基づく個人的感想だが、歴史的に新しいものを受け入れてきた北海道や福岡では反応がいいのに対し、名古屋や京都の人からはイマイチな反応が返ってくることが多かった。

京都の大手税理士事務所の方と何度目かにお会いしたときに、

「そろそろマネーフォワードを入れようかと思っているんです」

と言われて喜びかけたが、その方が以前、

「京都では『そろそろ』と言って本当に動き出すのは5、10年後」

と半ば冗談まじりに笑いながら教えてくださったのを思い出し、気長に待って、コツコツと信頼関係を構築していく覚悟を決めた。でもいったん受け入れてくださると、その後は本当に親身になって色々なアドバイスをくださった。

ある地方銀行からは、

「大事なお金の情報を、よくわからないベンチャー企業に預けるわけないでしょう？フィンテックだなんだと騒ぎ立てるのも、僕はあまり賛同しないな」

とボロカスに言われ、かえって僕は燃えた。後にその地銀がフィンテック推進部署を開設したと報道で知り、世の中の潮目が変わったことを感じた。

世の中を変えるには時間がかかる。一度や二度、断られたり、バカにされたりするくらいで折れるようでは、何事もなし得ないのだと、骨身に沁みて実感した。


コツコツと時間をかけて関係性をつくっていく行動は、無駄にならない。会ってみると全く脈がないことが一瞬でわかり、世間話だけして帰って落ち込んだ経験も何度もあったが、5年後にふと電話がかかってきて、

「辻さんが言っていた通りの世の中になってきましたな。うちもそろそろクラウド会計にしますよ」

とおっしゃってくださった人もいた。

嬉しいのは、そうやって関係性を築いてユーザーになってくれた方が、

「使ってよかった」

と言ってくれることだ。

ある居酒屋の奥さんから、

「クラウド会計に替えたおかげで、レジ締めの手間がほとんどなくなって、睡眠時間を削らなくて済む。家族の時間も増えて、旦那と喧嘩も減ったのよ」

と喜ばれた。

また、福岡で急成長している税理士法人アーリークロスの小西慎太郎先生や花城正也さんからは、

「通常業務の効率化が進んでいたおかげで、コロナ禍で売り上げ減に苦しむ顧客企業の助成金申請のサポートに集中できた。お客さんに感謝され、事務所のメンバーもこの仕事をやっていてよかったと心から思えたと言ってくれているんですよ！」

という声をもらった。僕は涙が出るほど嬉しかった。

僕が今でも営業に行く理由

これまでの話から伝わったと思うが、僕は今でも営業に行っている。

「重要な顧客だから」と社員に頼まれて同行するときもあれば、自分からアポを頼んで出かけるときもある。直接訪問したお客様はのべ１０００を超えると思う。

上場してからもしょっちゅうお客様に会いに行く。2020年春から続く新型コロナウイルス感染拡大の影響で、対面で訪問するのが難しくなってからも、チャットやメールで「最近、困っていることはないですか？」とお客様の様子をダイレクトに聞くようにしている。

進んで営業に出かける理由は、ユーザーの声にしか答えがないことを知っているからだ。

つまずきがちな僕たちの進むべき道を照らしてくれたのは、いつもユーザーだった。「非常識なビジネスだ」と金融業界の各社からBANされて半分死にかけていたときにも、「マネーフォワードがなければ困る」と支えてくれたのはユーザーだった。

つい最近も、僕は盛大な失敗を正す決断を、ユーザーに導いてもらった。

1年近くかけて準備した「マネーフォワード ME」のウェブ版のリニューアルをしたその日、ユーザーから「使いにくくなった」と猛反発の大炎上祭りになってしまったのだ。

原因は僕にある。実は開発段階で違和感を抱きながらも、リニューアルに向けて一生懸命頑張っている開発チームに「やっぱりやめよう」と言えなかったのだ。好かれたがりの僕の弱さ、なんとかなるかなという甘い期待が招いた大失敗だ。

しかし、僕の強さは、失敗から立ち上がる速さと柔軟性だと思っている。今回のリニューアルを行なうにあたって、一番はじめに持っていた僕たちの仮説が間違っていたとわかったこともあり、経営メンバーで議論をして、翌日、断腸の思いで「リニューアル撤回」を決定した。

多大な時間と思いをつぎ込んでくれた開発メンバーには、本当に申し訳ない気持ちでいっぱいだし、撤回する意思決定をした晩は、色々なことを考えすぎて、久々に眠れない夜を過ごした。

仮想通貨事業の事実上の撤退

ここまで、大小のさまざまな失敗経験とそこから得た学びについて話をしてきた。

未熟さや拙《つたな》さをさらけ出してしまったような、本当に恥ずかしい気持ちでいるが、一方で失敗を重ねるたびに僕らは強くなっていった、学びを重ねながら前に進んできたという自負もある。

不確実で先が見えない時代を生きる僕たちは、どんなに正確な羅針盤を手にしたとしても、きっと道に迷う。突然の嵐に航路を塞がれることもあるだろう。今まで正解だったやり方が、外部環境の急変によって正解ではなくなることも多々ある。

これからはよりいっそう、「失敗を受け入れる力」「失敗から立ち上がる力」が組織の強さの基盤をつくるのではないかと感じている。

そのことを深く胸に刻んだ体験を、最後にもう一つ、紹介しよう。

２０１９年４月に発表した「仮想通貨交換事業への参入延期」――今となっては、事実上の撤退だ。

もともと仮想通貨については、当時、中央集権型の貨幣制度に代わる可能性がある、インターネット的な分散型の新しいお金の形として注目され始めていた。「テクノロジーによって、新しいイノベーションが起こるかもしれない！」と、僕たちも事業として挑もうという前向きな気持ちを持っていた。「お金の課題をテクノロジーで解決する」と掲げる僕たちが取り組むべき分野だと考えていた。

経営陣の中には「参入するにはあまりにも負荷がかかりすぎる。リソースを既存事業に集中すべきだ」という否定的な意見もあったが、僕の強い意思もあって進めた。

2017年12月に事業参入のリリースを発表し、翌2018年3月には仮想通貨交換業を専業とする子会社、マネーフォワードフィナンシャルを設立。社長は、仮想通貨事業の構想前に日本銀行から転職してきた神田潤一に任せた。

神田は日銀で20年以上のキャリアを積み、出向先の金融庁で国内のフィンテック事業の調査・政策企画に携わった経験を持つ。日本の金融をよりオープンに変革しようとするチャレンジに、神田自身も気概を持って打ち込んでくれていた。採用も積極的に進め、1年かけて約60人を集めた。事業者登録のためのシステム開発を急いでいた。

風向きが大きく変わったのは2018年9月だった。先行企業のテックビューロが運営する「Zaif」が「仮想通貨流出事故」を起こしたのだ。

この年のはじめに「コインチェック」も同様の流出事故を起こしており、「2回目の流出」によって、仮想通貨自体への社会的信用が大きく揺らいだ。さらに「Zaif」の代表者が雲隠れするという不誠実な対応によってマーケットも急速に冷え込んでいった。

これを起点として、新規登録を目指す事業者に対する規制が格段に厳しくなった。僕たちには非常に苦しい闘いとなった。日に日に金融庁とのやりとりが頻繁になり、登録を認めてもらうための要件として、500近い項目が送られてきたこともあった。

僕はずっと悩んでいた。このまま突き進むべきか、傷が深くならないうちにやめるべきか。

年末を迎え、2019年へと年をまたぐ数カ月の間の経営会議は紛糾した。仮想通貨を取り巻くマーケットの環境はなかなか上向かず、しばらく安定化する見込みもない。事業を牽引する神田は収益計画の改善案を二度、三度と書き直して説明した。神田も僕も、最後まで諦めてはいなかった。仮想通貨が開く未来の可能性を信じていたし、休み返上で手を動かしている現場のメンバーを思うと「撤退」はなんとしても避けたかった。

しかし、「今、この環境変化を乗り越えてまで、マネーフォワードが参入する意味はあるのか」と、厳しい見方をする役員が多数派だった。僕も、このままズルズルと意思決定を先延ばしにするべきではないなと、日々さまざまな情報を集めながら、悩んでいた。

2019年3月に行った役員合宿で、その方針は固まった。とことん議論を尽くす中で、やはり「続けるべきではない」という意見が多数を占めた。

現場のメンバーを思うとツラすぎる決断だが、成功の見込みがない事業を続けたら、スタートアップにとっては命取りになる。最後は神田の、

「参入延期で異論はありません」

という言葉を受け取って、「実質的な中止」を決断した。

「あのときに決めておけば」と後から評価するのは、結果論でしかない。そのときそのときでベストを尽くし、それでもうまくいかないことはある。

経営会議で参入延期の方向性を決めた後、具体的な手続きを詰め、取締役会決議などを経なければならなかったため、現場の社員に撤退を共有するまでには1カ月以上

の期間があった。

システムはほぼ完成し、承認を得るだけの完成度を磨こうと、ひたむきに持ち場の仕事に集中する60人に、「もうやらなくていい」という事実を打ち明けられないジレンマ。そのほとんどが、仮想通貨事業のためにマネーフォワードに転職してきてくれた社員だった。経営判断として実質撤退の決断は間違ってはいないと思うが、僕も神田も社員たちのことを思うと申し訳なくて仕方がなかった。

特に神田はこの時期が一番苦しかったそうだ。僕も胸が痛かった。しかし僕たちにもできることはある。それは、逃げず、現場メンバーにとことん向き合って、最大限の誠意を尽くすことだ。


4月15日の取締役会で決議を取った後、仮想通貨事業を準備していたマネーフォワードフィナンシャルの社員全員に集まってもらい、参入延期を告げた。まずは神田から経緯説明があり、僕からも直接、話をした。

「申し訳ありません。経営のミスです。皆さんの雇用は会社として保証します。能力を存分に発揮していただける希望の職場へ移れるよう、全力を尽くします」

目の前に広がっていく絶望の表情を確かめるのはツラかったが、感傷に浸っている暇はなかった。その日のうちに60人全員と人事面談を行ない、異動先の希望をヒアリングした。面談は滞りなく一気に進められるように、事前にスケジュールを設定しており、必要に応じて複数回実施した。「やっぱり仮想通貨事業をやりたいから、ここでできないなら他社へ転職したい」と希望する社員に対しては無理に引き留めず、本人の希望を優先し、転職先候補の社長に紹介したりした。

同時に、マスコミ向けの発表や取材対応の準備も進めていた。傷を負ったメンバーが、さらに血を流すことがないように、粛々と敗戦処理に集中した。

「いいときばかりではなく、悪いときこそ正直に隠さず説明するべきです」

という、当時の広報部長だった柏木彩の強い意志を尊重した。正解だったと思う。

「ありがたかったですね。現場で奮闘していた社員が不安を感じないように、組織で一丸となって隙のないフォローをしてくれたことが、僕にとっても精神的に非常に助かりました。その姿勢が伝わったからか、会社に対して怒りの感情をぶつける人は、一人もいませんでした。参入を延期すると決めた後の行動は、組織として本当に立派だったと誇りに思います」

責任者の神田が当時を振り返ってそう言ってくれたと聞いた。さらに、仮想通貨事業のために集まってくれたメンバーのうち半数が、今でもマネーフォワードの一員として働いてくれている。中にはすぐに新たな領域で頭角を現したメンバーもいて、とても頼もしく思うと同時に、ホッとしている。

だけど僕は、同じ北極星を目指して集まった仲間たちが、それぞれの思いを込めて進めている事業を実質的に「やめる」という経営判断をした者として、この一件を美談としてはいけない、と心に刻んでいる。

失敗ばかりして、本当に申し訳ない。しかし、やはり、新しいことに挑戦していく中では、これからも失敗をしてしまうと思う。

失敗を乗り越えるたびに強くなれるとか、そういうことを言える立場じゃないことはわかっている。確かに、失敗するよりは、しないほうがいいことも確かだ。

でも、「失敗を恐れて、前に進めない」という事態にだけは、絶対に陥りたくない。

これだけ世の中が急激に変化していく中で、挑戦がなければその会社はいずれ世の中の変化に対応できず、ユーザーから必要とされなくなってしまう。

マネーフォワードが社会に存在を許されている唯一の理由は、ユーザーに支持されていることであり、それはつねに失敗を恐れず挑戦を続け、新しい価値を提供し続けることだと思うからだ。

失敗を乗り越えて、さらに前へ

やめる決断は痛みを伴う。たくさんの人の人生を巻き込むことにもなる。

けれど、あのときに決断をしなければ、会社の経営もかなり危なかった（その後しばらく、仮想通貨のマーケットはさらに低迷した）。

「たられば」で語るのは嫌いだし、僕は迷いなく決断できるタイプでもない。覚悟を決めるまで、僕はずっと迷っている。周りの経営陣の意見もひたすら聴く。

でも、最後に決めるのは、そしてすべての責任を持つのは、社長であり最終意思決定者である自分だ。その責任は恐ろしく、すさまじい重圧も感じる一方で、僕はこうも考えている。

答えは見つけるものではない。つくるものだ。

自分たちがこっちと決めた選択肢を、自分たちの行動によって正解にしていく。

未来の成否は誰かが判定してくれるものではなく、自分たち自身で決められるものなんだ。

僕たちはきっとこれからもたくさん失敗する。

けれど、きっと同じ数だけ乗り越え、前へ進んでいく。

失敗をどう乗り越えるか。乗り越えようとしているか。そしてその挑戦の先にどれだけの新しい価値をユーザーに届けることができるか。

ここからさらに、未知のジャングルへ踏み出していくのだ。

おわりに

２０１７年９月29日、僕たちは東京証券取引所マザーズ市場に上場した（２０２１年６月14日、東証一部に市場変更）。上場の鐘を鳴らした瞬間から、マネーフォワードは社会の公器、よりパブリックな存在となり、僕たちの社会的責任が増したと同時に、その存在意義をいっそう問われることになった。

頭上に響く鐘の音を聞きながら浮かんだのは、頼りない僕たちを信じて応援してくださったお客様や仲間の顔だ。誰にも評価されず、思いだけで進んできた僕たちを当初から信じて応援してくださった方々に、やっと少しは恩返しができたかもしれないと思えた。

厳しい審査をくぐり抜け、上場を承認される企業は０・１５％程度と、ほんの一握り。上場企業という太鼓判を押された分、社会にサービスを提供するにあたり、より高い品質と、社会への貢献が求められる。

僕の恩師であり、上場のサポートもしてくださったマネックスグループＣＥＯの松本さんからはこう言われた。

「上場するということは、誰もがマネーフォワードの株式を買えるようになったということ。いわば、街中のスーパーに商品を陳列するということ。誰が買っても喜んでもらえるように、一定の品質を担保できるように、これまで以上のサービスクオリティをはじめ、ユーザーにより安心して使ってもらうことを目指していかねばならない」

野球でたとえるなら、アマチュアリーグからプロ野球に上がったようなものだろうか。経済界をはじめとして、日本の中枢を担う人たちとの付き合いも増える。

さまざまなプレッシャーはもちろん感じるが、僕たちが求めていたステージにやっと立てた。

スタートアップの上場というと、「おめでとう！　ついにやったね！」とまるでそれがゴールかのように祝福されることが多い。もちろん一つのマイルストーン、チェックポイントを無事通過できたので嬉しいが、僕たちにとってゴールという感覚は全くない。

上場はあくまで通過点であり、世の中のお金の課題を本気で解決するために必要なステップでしかなかった。〝社会の公器〟として一人前だと承認されることで、より大きなチャレンジが可能となり、できることは格段に増える。だから1日も早くクリアして、次のステージに進みたいという気持ちがあった。

僕たちが上場を目指した理由、それは「我々自身が、会社として強くなり、サービスを通してユーザーの皆さんの課題を解決し、前向きな世の中づくりに少しでも貢献したいから。まさに僕たちのミッションである〝お金を前へ。人生をもっと前へ。〟の実現に近づくから」だ。

テクノロジーの力で日本の金融を前に進めようと、誰からも見向きもされないところから這いつくばってきた。断られ、バカにされ、奥歯を噛み締めながら、前しか見ないと決めていたが、うまくいかないとき、期待に応えられないときには、応援してくれる人たちに対して申し訳ない気持ちでいっぱいだった。

僕たちをよく思わない団体から、僕たちのサービスについて偽情報を流され、せっかく使ってくれているユーザーの皆さんに不安や失望を感じさせてしまったこともある。悔しくて仕方なかった。

「1分1秒でも早く、僕たちがもっと大きく、強くならないといけない。信じて使ってくれているユーザーの期待に応え続けるためには、上場は一つの有効な手段だ」と自分を鼓舞した。僕たちはもっと強くなる必要があった。


僕たちが上場する意味はもう一つあった。

「スタートアップ上場の常識を塗り替える挑戦」という意味である。

昨今、テクノロジーを使って価値提供するスタートアップには、SaaSと呼ばれるビジネスモデルを基盤とする会社が増えてきている。初期にかなりの開発コストやマーケティングコストがかかるが、順調にユーザーが増え、一定の水準を超えると加速的に収益が急増するビジネスモデルだ。

グローバルでも急成長するSaaS企業が増え、注目を集めているが、どうしても黒字化するまで時間がかかる。赤字企業だと日本の株式市場に上場するのは難しいといわれていた。実際、僕たちの前にSaaS型のサービスで上場した企業は実質的になかった。

この壁を突破することは、日本の株式市場に風穴を開け、世の中を前に進めることになると、僕は使命感に燃えていた。

スタートアップがより上場しやすい環境へと変われば、資金の出し手であるベンチャーキャピタルなどがよりスタートアップへ投資をしやすくなる。その結果、スタートアップエコシステムの成長スピードが加速し、資金調達の流れが促進され、チャレンジャーがさらにチャレンジしやすい社会へと変わっていく。

僕たちはその〝突破担当〟になろうと決意したのだ。

「金のモルモット」の逸話を聞いたことがあるだろうか。

１９５８年8月17日発行の『週刊朝日』にジャーナリスト・大宅壮一氏が寄稿したコラムで、ソニーの後発としてトランジスタ事業に参入した東芝の生産高がソニーの2倍超に達したことが紹介された。当時、「ソニーは東芝のためにモルモット的役割を果たしたことになる」という一文に、不満を抱いたソニー社員は多かったらしい。

しかし、創業者の一人、井深大氏は「モルモットで結構です」と開き直り、その意義を開拓者であり先駆者であると解釈。「これこそがソニーのフロンティア精神」と提言したと伝えられている。その言葉に深く感銘を受けた社員らが、当時社長だった井深氏に贈呈した像。それが、黄金色に塗装したモルモット像なのだ。

僕たちも、喜んで時代を開拓していくモルモットになりたい。光輝くモルモットになれたら、最高にかっこいいではないか。

そんな意気込みで挑んだ上場準備だったが、思った以上に難航した。

現CFOの金坂を中心に2015年から準備を始め、2016年のはじめには元SBI証券の坂を迎え、IPOに向けて体制を強化。これ以上ない体制で臨んだが、なかなか当初描いたシナリオ通りにはいかなかった。

上場するためには、売り上げ増はもちろんのこと、コンプライアンスの遵守はできているのか、内部管理体制が整っているのか、など多くの論点がある。すごいスピードで成長してきた僕たちには、まだまだ未整備の部分が多くあった。さらに、市場の秩序を守る東証の審査は、当然だが高いレベルを要求された。「赤字のまま上場する」という点だけでもチャレンジングなのに、「フィンテック上場」という面でも国内で初めてのこと。上場を支援する証券会社からこれでもかと要求される説明材料の準備に追われた。

一度の審査では通らずに、やり直し。内部管理体制を整え、上場にかなうだけの予算統制をするには、さらに想像以上の準備を要した。

それでもついに、鳴らすことができた東証の鐘。

僕らが壁を突破した後、ラクスルやビジョナルなどスタートアップの上場が加速した。また、国内スタートアップ企業が海外の機関投資家からも資金調達する道を切り拓くという貢献ができたことも嬉しい。

今まで多くの恩恵を与えてくれたスタートアップエコシステムの成長に、少しくらいは貢献と恩返しができただろうか。

けれど、ホッとするにはまだ早い。

僕たちは目指すべき目的地まで１００分の１の距離も進んでいないと思っている。

これからもよりいっそう大きな挑戦をしていかなければならないし、それに伴って変わらず失敗、ラーニングを続けるだろう。

一歩ずつ進んでいくにしたがって、僕たちの目線も少しずつ上がってきた。日本における課題意識から集まった僕たちの間でも、最近では、「グローバルにどんな貢献ができるか」という話題も上るようになった。

起業家は、誰も見たことがない世界をつくりたがる生き物だ。ユーザーに喜んでもらえて、その先に明るい未来があると信じられたら、前に進むことしか考えられないのだ。

白か、黒か。すでに引かれているラインの間のグレーを行き来して、
「こういう世界にしてみませんか?」
と新しい基準を示す。それが多くの人に喜ばれ、支持されれば、世の中は少しだけかもしれないが、前に進む。起業家の役割は、激変する外部環境を受けて、世の中に新しく、意味のある価値を創り出し、社会の役に立つことだ。

それは危険な賭けでもある。世間の感覚と大きくズレたら、即退場を命じられるリスクもあるからだ。

この変化の時代に、この国には「流動性と多様性」がもっと必要だと、僕は最近、特に強く感じている。

人材、お金、情報など、すべてにおいて流動性と多様性が高まれば、変化が激しい外部環境に遅れることなく、必要な業界や企業に人や資金が流れる。

先日、あるヘッドハンティング会社の経営者から聞いた話によると、日本人の平均転職回数は0・9回だという。つまり1回も転職しない人が多く、流動性が極めて低いのが現状なのだ。

「転職が多いほうがいい」というつもりは全くないが、今の状態では、会社と社員の関係を健全に保つのは難しいのではないだろうか。どんなに職場環境や給与水準が悪くても社員が辞めなければ、経営者が経営努力を怠ってしまうかもしれない。

僕が経営者として目指したいのは、会社と社員のフラットな関係性——つまり、会社は社員のためにより良い環境を提供し、社員は会社のミッションにしたがってアウトプットを出すという関係性だ。

会社が努力を怠ったときには、社員が転職という形で意思表示をする。会社はミッションに基づいて社員との雇用関係を決める。

人材の流動性が上がれば、経営者の意識や危機感も当然上がる。職場環境や給与水準などの改善に、より力を注ぐことになり、結果的に日本全体の生産性は上がっていくはずだ。

さらに、多様性があれば、一部の偏った考え方に基づいた意思決定ではない、マイノリティも含めた全員の意思が反映された決定がなされる可能性が高くなる。

アメリカでは、政府と民間の間にも人材の交流が多く、「回転ドア」と呼ばれるほど、人材の行き来がなされている。官民問わず、経営陣にも流動性と多様性が多く見られる。

「流動性と多様性」がより広がっていくためには、「見える化」と「ディスクローズ＝オープンにしていくこと」が大きな鍵を握っていると思う。昨今、企業の不祥事やセクハラ、パワハラなどが明るみに出ることが増えたように感じるが、その背景には、個人が自由に発信できる武器としてのインターネットがあるのだろう。体質の古い業界や企業を変えていくためには、これも大切な一歩だ。

クラウド化が進み、オープンな世界が実現していけば、より「流動性と多様性」が進む。個人個人の可能性が広がり、自分らしさが認められ、より生きやすくなる。そして世界もより良くなっていくと思う。僕たちもサステナブルな社会を目指し、これからもESGの取り組みをさらに強化していきたい。

僕たち人類は今、新型コロナウイルスという未曾有の危機に面している。未曾有の危機を迎えて、今まで目をつぶって見ないようにしていた現状の課題が浮き彫りとなった。同時に不確定で正解が誰にもわからない環境下において、リーダーシップというものがいかに大事かということも身をもって体験している。

正解が誰にもわからない、苦しく暗くなりがちな状況だからこそ、リーダー任せにせずに僕たち一人ひとりが自分の持ち場で精一杯、前向きに明るく楽しく努力を続けていくしかないのだとも思う。

日本版ダボス会議とも呼ばれるG1の「批判よりも提案を、思想から行動へ」という言葉が、僕は大好きだ。起業家は、口だけ、批判だけではなく行動、すなわち事業やサービスを通して、世の中を少しでも良くしよう、課題解決をしようとする生き物だ。

この苦しい環境下において、多くの課題が山積みにされている今こそ、多くの起業家の誕生が必要とされている。いや、別に起業しなくてもいい。自分の今の仕事を通して、起業魂を持って日々前向きに取り組んでいく人たちが一人でも多く増えることが、この苦しい時代を乗り越えていくために何より大切なのだ。

この苦しい環境下で1日でも早く課題を解決していくためには、失敗を恐れている余裕はない。だから僕は社内でも頻繁に「失敗」を語るのだが、それに慣れない若手から、

「社長がそんなに『失敗した』と連呼すると、社員は不安になっちゃいますよ。一生懸命やっているのに、モチベーションを下げないでください」

なんて突っ込まれたこともある。失敗という言葉が、みんなからこれほどネガティブに捉えられていることには、本当に驚いた。

でも、忘れないでほしい。失敗は挑戦した人にしか経験できない貴重な学びの経験だ。挑戦をすれば、必ず一部は失敗をするだろう。しかしそれは単なる失敗ではなく

次の成功へのラーニングなのだ。

失敗に寛容な社会になることがこれからますます大事だと思うし、僕たちは失敗を語れる挑戦者であり続けたい。

これからも恐れることなく挑戦を続け、世の中を少しでも「Forward」できるよう、社会の役に立てるよう、全力を尽くしていきたい。

そのためにも、僕は自分の可能性を超えたい。

だから、これからも堂々と失敗し、ラーニングを続け、成功するまでやり切ろう。

どんなに苦しいときでも、旗を降ろさないリーダーでありたい。

倒れるときは、前のめりだ。

謝辞

最後に、お忙しい中この本を手に取って読んでくださった方々へ深く御礼申し上げたい。

また、この本の執筆に深く関わってくださった宮本恵理子さん、日経ＢＰの中川ヒロミさん、宮本沙織さん、そして、マネーフォワードのみんなへ心から御礼申し上げます。皆さんがいなければ、この本を書こうと思いもよらなかったし、協力なしには、この本は完成することはできませんでした。本当にありがとうございました。

僕が経験したことをもとに、なるべく事実に即して記述したつもりですが、もしかしたら一部に、僕たちの一方的な解釈に基づく記述や失礼な表現などがあったかもしれません。その際には、何卒ご容赦ください。

この本は、僕らにアドバイスをくれた先輩方、間接的に本を通して知識を共有してくれた先人たちへの感謝と、それを次の世代に伝えていきたいという思いで書きました。この本に関わる印税も、認定ＮＰＯ法人フローレンス、認定ＮＰＯ法人カタリバをはじめとする次の世代の人たちの支援につながる団体に全額寄付したいと思います。

僕らのこうした考え、思いが次につながって、少しでも多くの方が、失敗をラーニングと捉え、新しい課題解決のために挑戦する勇気を持っていただけると幸いです。僕たちも、まだチャレンジの途中。みんなで一緒に社会を少しずつForwardして（前へ進めて）いきましょう。

2021年5月　辻　庸介

巻末付録　今日より前に進むためのブックリスト

僕たちが先輩方にお世話になったように、僕たちのこれまでの失敗が誰かの道標《みちしるべ》になるならば。この本の執筆を決意した背景には、こんな思いも大きい。

それは、僕がこれまで本を通して、先輩方から学ばせてもらってきたからだ。先輩方が人生を賭けて獲得した学びは、〝オープンソース〟のように本の中で公開されている。悩んだとき、迷ったときには、大きな力になってくれるはずだ。

そこで本書の最後に、僕がこれまでに読んで、中でも強い感銘を受けた本、勇気づけられた本をいくつか紹介しておこうと思う。少しでも参考になれば嬉しい。

■ビジネス書

1．「Den Fujitaの商法」シリーズ（藤田田／ベストセラーズ）

- **『本当に儲けたいなら、お金が欲しいなら頭のいい奴のマネをしろ』**
- **『金持ちだけが持つ超発想：毎年生まれる100万人にフォローされる商売を考えよ』**
- **『ビジネス脳のつくりかた：この先20年使えて「莫大な資産」を生み出す』**
- **『クレイジーな戦略論：今すぐ行動しビジネスの勝率を劇的に上げる』**

日本マクドナルド創業者の著書。「弁解する暇があったら解決策を考えろ」「売れないと嘆く前に頭は使いようだ」と、極めて本質的なことを言い続けると共に、時代の流れやビジネスの本質をつねに捉え、天才的な商売人として実践されている。また、他の人から嫌われることをあまり気にしない豪放さを尊敬している。

2.**『小倉昌男　経営学』**（小倉昌男／日経BP）

「宅急便」の生みの親・小倉さんが、どんな困難にぶつかっても顧客第一の思考を貫き、日本の物流を変革したストーリー。たとえどんなに批判されても、また、たとえ国が相手でも、自分が正しいと思うことを貫き、立ち向かっていく姿から、人間としての器の大きさや強さを感じる。「サービスが先、利益が後」というぶれない軸を持ち、つねにお客様に価値を生み出すことを追求し続けた数々のエピソードは、ビジネスにとって何が一番大事なのかを思い出させてくれる。

3.**『リクルートのDNA：起業家精神とは何か』**（江副浩正／角川書店）

日本を代表する企業であるリクルートだが、その企業文化はとてもユニーク。リクルート出身の起業家も多い。創業者である江副さんが退任し、リクルート事件のような、通常だとつぶれてしまうようなすさまじい困難も乗り越え、さらに直近ではIndeedの買収を通じて、グローバル企業として成長することができたリクルートは、どういった企業文化なのか。個人的に非常に興味があるリクルートという会社の、創業からの成長のストーリーがわかる本。

4.『**論語と算盤**』（澁澤榮一／渋沢栄一記念財団）

「日本資本市場の父」と称され、道徳経済合一の思想でも広く知られている渋沢栄一。銀行、証券取引所、教育、医療、福祉、研究所など、数多くの会社、組織の設立に貢献した渋沢さんの根底にある考え方を学べる本。資本主義の限界が垣間見える現代だからこそ、学びも多くある。

5.『**ソニー盛田昭夫：“時代の才能”を本気にさせたリーダー**』（森健二／ダイヤモンド社）

インターネットも携帯電話もない時代に、グローバル企業を目指してアメリカに乗り込み、困難に立ち向かいながらチャレンジしていたとき、何を考えていたか。そしてどういった苦労があり、それをどう乗り越えていったのかが克明に書かれている。グローバル企業を目指す上で、とても参考になるし、勇気をもらえる。

6.『**日本企業初のCFOが振り返るソニー財務戦略史**』（伊庭保／日本経済新聞出版）

経営には、ヒト・モノに加えてカネ（財務戦略）が必要。グローバル企業として成功したソニーの成長を裏側でどう支えてきたのか、悩みと葛藤が描かれている。歴史に残る本。

7.『**経営者になるためのノート**』（柳井正／PHP研究所）

迷ったときに読む本。もともとは、ユニクロが経営幹部の教育用に使っていたもの。「まだまだ甘い」「まだやれる」と、柳井さんに叱られている気持ちになり、身が引き締まる。「変革する力」「儲ける力」「チームをつくる力」「理想を追求する力」など、企業経営の本質が書いてある。

8.『**V字回復の経営：実話をもとにした企業変革ドラマ**』（三枝匡／日本経済新聞出版）

経営を科学している本。ここまで高い解像度で経営を分解して、打ち手を論理的に組み立てられている本は、他にあまりないと思う。読んだときの驚きを今でも覚えている。経営者としての限界を感じたときに読みたい本。

9.『**増田のブログ：CCCの社長が、社員だけに語った言葉**』（増田宗昭／CCCメディアハウス）

CCCは、ビジネス展開がとてもクリエイティブで、そこには増田さんのアイディアや思想が詰まっている。世の中にないものをつくる発想は、プロダクトづくりの究極の姿であり、かなり前からアート経営を実践されていることがわかる。増田さんの心の動きや思いと共に、新しい価値をどうやってつくっていくかが学べる本。

10.『**渋谷ではたらく社長の告白**』（藤田晋／幻冬舎）

サイバーエージェントの創業期から急成長を遂げるまでのリアルなエピソードが詰まった本。あの激動のITバブル前後の時期の様子、そしてスタートアップの「Hard Things」が克明に描かれている。多くの社員が去ったり、企業を買収されそうになったり、さまざまな困難を藤田さんがどのように乗り越えてきたかを知ることで、勇気をもらえる。

11.『**HIGH OUTPUT MANAGEMENT：人を育て、成果を最大にするマネジメント**』（アンドリュー・S・グローヴ／日経BP）

インテルが実践してきた経営手法を学べる本。組織が急拡大する中で、どのようなチームづくりが最適か、どんなミーティングをすればよいのか、権限委譲をどうするかなど、経営者としての学びが非常に深い。実際の経営において、さまざまな意思決定や判断の参考にしている。

12.『**フェイスブック　若き天才の野望：5億人をつなぐソーシャルネットワークはこう生まれた**』（デビッド・カークパトリック／日経BP）

インターネットのワクワク感、可能性を強く感じることができ、さらには起業の背中を押してくれた1冊。マーク・ザッカーバーグのような若者が困難に立ち向かいながらも、社会を前に進めていくストーリーを読み、自分も社会に対して還元しなければと思った。

13.

『ジョナサン・アイブ：偉大な製品を生み出すアップルの天才デザイナー』

（リーアンダー・ケイニー／日経BP）

アップル、スティーブ・ジョブズがなぜあれだけイノベーティブなプロダクトを生み出し続けることができたのか、その理由が垣間見える。ものづくりに強いこだわりを持つジョブズと、その片腕として非常に大事な役割を果たすジョナサン・アイブ。経営、そしてプロダクトづくりにおいてデザインがいかに重要か、いち早く理解し実践しイノベーティブなプロダクトを生み出してきたアップルのストーリーには、多くのヒントがちりばめられている。

14.

『PIXAR：世界一のアニメーション企業の今まで語られなかったお金の話』

（ローレンス・レビー／文響社）

ピクサーがどうやってナンバーワンのアニメーション企業に成長したのか、その裏側を知ることができる。CFOという立場から見たスティーブ・ジョブズ、経営陣とクリエイターとの衝突など、一つひとつのエピソードを読むと、事業を進めていく上での多くの気づきを得られると共に、起業家として勇気をもらえる。

15.『**クラウド誕生：セールスフォース・ドットコム物語**』（マーク・ベニオフ、カーリー・アドラー／ダイヤモンド社）

SaaS業界の巨人、セールスフォースがどのように生まれ、どのようなビジョンで経営してきたのか、根底にある思想、戦略がよくわかる本。SaaS経営者、サービス提供者の必読書。

16.『**ゼロ・トゥ・ワン：君はゼロから何を生み出せるか**』（ピーター・ティール、ブレイク・マスターズ／NHK出版）

PayPalマフィア、Facebookの初期投資家としても知られる伝説の投資家ピーター・ティール。新しい何かを生み出すためにはどうすればいいか、世の中に知られていない真実は何なのかといった本質的な問いを深掘りしながら、彼の考え方を学ぶことができる。起業家だけでなく、次の世界をつくろうという強い意志を持った方々にぜひ読んでいただきたい。

17.『**PRINCIPLES：人生と仕事の原則**』（レイ・ダリオ／日本経済新聞出版）

今や、世界有数の富豪としても知られる伝説の投資家レイ・ダリオが、自身の数々の成功と失敗から発見した原則（プリンシプル）を教えてくれる。とてもストイックで科学的、本質的。人生のさまざまな局面で参考にできる。

18.『WHO YOU ARE：君の真の言葉と行動こそが困難を生き抜くチームをつくる』

（ベン・ホロウィッツ／日経BP）

強い組織をつくる上で、文化づくりはとても重要である。しかし、文化というものはルールではないため、つかみどころがなく、組織によっても全く異なる。この本では、チンギス・ハンや元囚人などさまざまな人物を取り上げ、彼らの文化づくりの方法論を紹介していく。邦題でもある「WHO YOU ARE（あなたは何者なのか）」が、文化づくりの起点になるというメッセージは、とても的を射ていると思う。あらためて、自分たちは何者なのか、何を成し遂げたいのか、どんな組織をつくりたいのかについて学べ、考えさせられる1冊。

19.『両利きの経営：「二兎を追う」戦略が未来を切り拓く』

（チャールズ・A・オライリー、マイケル・L・タッシュマン／東洋経済新報社）

イノベーションを起こし続けるために必要な「知の探索」と「知の深化」について、さまざまな企業のケーススタディを通して、体系的に学ぶことができる。既存の範囲を超えて遠くに認知を広げていこうとする「知の探索」と、一定分野の知を継続して深掘りし磨き込んでいく「知の深化」が掛け合わされると、自身も会社も強くなる。思い切った変革は、ときに反対意見に阻まれるが、非連続的成長をもたらすこともある。両利きをうまく使うことは、経営、マネジメント、意思決定においてとても大切で、ビジネスに関わるすべての人にお薦め。

20.『**経営は「実行」：明日から結果を出すための鉄則**』

（ラリー・ボシディ、ラム・チャラン、チャールズ・バーク／日本経済新聞出版）

何事も口で言うのは簡単だけど、実行するのは本当に難しい。しかし、実行して価値を生み出してはじめて、存在する意味がある。エグゼキューションする上で大切なポイントをロジカルに学べる本。

21.『**リーン・スタートアップ：ムダのない起業プロセスでイノベーションを生みだす**』

（エリック・リース／日経ＢＰ）

多くのスタートアップがサービスをつくっていくにあたり、ぶち当たる壁とその乗り越え方が、事例と共に紹介されている。これを最初に読んでいれば失敗しなかったのに、と思うことがたくさんある。すべてのスタートアップ経営者にお薦めしたい。

22.『**Hit Refresh：マイクロソフト再興とテクノロジーの未来**』

（サティア・ナデラ、グレッグ・ショー、ジル・トレイシー・ニコルズ／日経ＢＰ）

マイクロソフトを立て直したナデラが、どういう人物で、どんな経営をしてきたのかがわかる1冊。トップダウン型の経営ではなくミッションに基づいた共創を大切にしている。時代にマッチしている上、マネーフォワードのスタイルとも通ずるところがあり、ロールモデルにしたい。また、家族の話などを通じて、彼のマチュアで（成熟した）素晴らしい人間性にも触れられる。

■お金の本

23.『**金持ち父さん貧乏父さん：アメリカの金持ちが教えてくれるお金の哲学**』（ロバート・キヨサキ／筑摩書房）

お金に関する教科書的な本。お金の価値、お金と仕事、お金と人生など、生きるために必要な知識と考え方を学べる。

24.『**私の財産告白**』（本多静六／実業之日本社）

お金とは何かを考える際に役立つ数少ない正統な本の一つ。マネーフォワードのビジネスに直接つながってはいないが、問題意識は近いと感じている。

■歴史の本

25.『**坂の上の雲**』（司馬遼太郎／文藝春秋）

明治時代、欧米に追いつこうとしていた日本の激動の雰囲気がわかる。変化に対して真摯に向き合う秋山兄弟から、先人が切り拓いた、日本に対する思いが伝わる。感謝の気持ちが生まれる。

26. **『真田太平記』**（池波正太郎／新潮社）

真田昌幸は、圧倒的な物量を持つ大名たちを相手に策謀・策略で戦い抜いた戦国武将。絶対的な危機に陥っても、不利な状況に負けずに戦い続けている姿に勇気をもらえる。勝つためには、戦略・実行・リーダーシップが必要で、情熱的に大きな野望を描くことで人がついてくる。娯楽本として面白い。

■文学

27. **『1Q84』**（村上春樹／新潮社）

大好きな作家の作品。物語を通して、自分の内面、精神世界と向き合い、自分自身を掘り下げていく感覚に陥る。悩みやストレスを感じたときに読むと、集中した思考とそれによる爽快感が得られる。

■写真集

28. **『杉本博司　瑠璃の浄土』**（杉本博司／平凡社）

見ているだけで癒される。普段使っていない脳みそが動く感じ。集中力が高まり、深い思考ができるようになる。

29.『SONY DESIGN: MAKING MODERN』（ディヤン・スジック、イアン・ルナ／日経ナショナル ジオグラフィック）

長年にわたってソニーが生み出してきたプロダクトの写真集。ソニーのものづくりへの情熱やこだわりを知ることができる。プロダクトづくりやブランドづくりの参考になる。

■マンガ

30.『**キングダム**』（原泰久／集英社）

古代中国の春秋戦国時代末期における、戦国七雄の戦争を背景とした作品。敵対していた相手を味方につけたり、疲れた仲間の士気を高めることで戦に勝つなど、戦術やリーダーシップについて学ぶことができる。ストーリーも面白く、登場人物もユニークで愛着が湧く。仕事で疲れたときに読むと元気がもらえる。

巻末資料　本書に登場する主な人物

瀧　俊雄
執行役員
サステナビリティ担当　CoPA（Chief of Public Affairs）/Fintech研究所長
　2004年に慶應義塾大学経済学部を卒業後、野村證券株式会社に入社。株式会社野村資本市場研究所にて、家計行動、年金制度、金融機関ビジネスモデル等の研究業務に従事。スタンフォード大学MBA、野村ホールディングス株式会社の企画部門を経て、2012年よりマネーフォワードの設立に参画。一般社団法人電子決済等代行事業者協会　代表理事、一般社団法人MyDataJapan　理事、金融情報システムセンター安全対策専門委員、経済産業省　認知症イノベーションアライアンスWG　等メンバー。留学中に、知人を通じて辻を紹介される。

市川　貴志
執行役員　CISO
　2000年にマネックス証券株式会社入社。同社にて証券取引システムの開発・運用、子会社合併等の各種プロジェクトマネジメントを担当。その後、大手金融システム開発会社にて、インフラ部門の責任者として為替証拠金取引サイトの新規立ち上げに従事。2012年よりマネーフォワードの設立に参画。マネックス証券にて、辻と出会う。

都築　貴之
Money Forward Vietnam Co., Ltd. 代表
　2001年横浜国立大学大学院電子情報工学専攻修了後、ソニー株式会社に入社。5GHz帯無線LANルータの開発、著作権保護システムの開発、Playstationシリーズ向けコンテンツ配信サービスの立ち上げ、製品セキュリティ対策業務などに従事。マネーフォワードの設立に参画し、主にPFM事業の開発を統括。WEBアプリケーション及びiOS・Androidアプリ開発を担当。2018年に、ベトナムに開発拠点を立ち上げ、代表に就任。辻とはソニーの同期。

中出　匠哉
取締役執行役員
D&I担当　CTO
　2001年ジュピターショップチャンネル株式会社に入社。ITマネージャーとして注文管理・CRMシステムの開発・保守・運用を統括。2007年にシンプレクス株式会社に入社し、証券会社向けの株式トレーディングシステムの開発・運用・保守に注力。その後FXディーリングシステムのアーキテクト兼プロダクトマネージャーとして開発を統括。2015年にマネーフォワードに入社し、Financialシステムの開発に従事。2016年にCTOに就任。市川を通じて入社。

坂 裕和
執行役員 CLCO（Chief Legal & Compliance Officer）
2001年に証券会社に入社し2年間営業職に従事。2007年に法科大学院を卒業し、2008年に弁護士登録。2009年に株式会社SBI証券に入社し、法務部を経て経営企画部にて全社プロジェクトの推進・管理を担当。2011年にSBIホールディングス株式会社に出向し、社長室長として主にグループ戦略推進、子会社管理に従事。2012年にSBIマネープラザ株式会社の立ち上げを担当し、同社の管理部門管掌取締役に就任。2016年1月にマネーフォワードに入社。2007年、マネックス証券で契約社員として働いていた際、辻と出会う。

金井 恵子
People Forward本部　VP of Culture
2014年にマネーフォワードに入社。社内で一人目のデザイナーとして、UIデザイン、デザイン組織立ち上げ、ミッションビジョンバリュー策定などを経て、現在はVP of Cultureとして企業文化デザインを担当。インナーコミュニケーション、オフィスデザイン、サッカーパートーナーシップなどを通じて、文化醸成と浸透を行なっている。

黒田 直樹
執行役員　福岡拠点担当
九州大学大学院システム情報科学府を卒業後、2008年にマネックス証券株式会社に新卒入社。2012年より掲示板サービス、マーケティング支援、Webサービス開発事業を展開。2013年4月に、創業直後のマネーフォワードに参画。「マネーフォワードME」や「マネーフォワード クラウド」の開発を経て、「マネーフォワード クラウド経費」のプロダクトオーナーを務める。2017年に福岡にて開発拠点を設立。マネックス証券にて、辻と出会う。

神田 潤一
執行役員　マネーフォワードエックスカンパニーCOO　渉外担当
東京大学経済学部卒。米イェール大学より修士号取得。1994年に日本銀行に入行、金融機構局で金融機関のモニタリング・考査などを担当。2015年8月から2017年6月まで金融庁に出向し、総務企画局 企画課 信用制度参事官室 企画官として、日本の決済制度・インフラの高度化やフィンテックに関連する調査・政策企画に従事。2017年9月にマネーフォワードに入社。一般社団法人Fintech協会常務理事。

巻末資料

マネーフォワードの歩み

年	月	マネーフォワードの出来事	世の中の出来事
2012	5	マネーブック株式会社（現・株式会社マネーフォワード）設立	
	5	第1号サービス「マネーブック」リリース	
	12	2000万円の資金調達を実施（マネックスベンチャーズ、個人投資家）	
	12	「マネーフォワード ME」β版リリース	
2013	3	1億円の資金調達を実施（個人投資家）	
	3	渋谷区恵比寿に本社移転、社員数約10名	
	10	5億円の資金調達を実施（ジャフコ）	
	11	「マネーフォワード クラウド会計・確定申告」β版リリース	
2014	1	5000万円の資金調達を実施（TBSイノベーションパートナーズ、三菱UFJキャピタル）	
	2	港区三田に本社移転、社員数約30名	
	12	15億円の資金調達を実施（ジャフコ、MSIVC、ソースネクスト、電通デジタル、GMO-VP、クレディセゾン、他4社）	
2015	5	港区芝に本社移転、社員数約90名	
	7	マネーフォワード Fintech研究所を設立	
	9	9.7億円の資金調達を実施（SBIホールディングス、静岡銀行、ジャフコ）	一般社団法人Fintech協会が設立
	10	5.6億円の資金調達を実施（三井物産、Pegasus Tech Ventures、山口FG、東邦銀行、三菱UFJ信託銀行）	経済産業省FinTech研究会を開始
	10	株式会社NTTデータと「Open Bank API」の共同検討開始	
	11	金融機関向けサービス提供開始	

2016	3	奨学金の機構との連携をBANされる	
	4		日本銀行がFinTechセンターを設立
	5		改正銀行法が国会成立（2017年4月施行／銀行による出資上限が緩和される）
	9	8・2億円の資金調達を実施（みずほFG、北洋銀行、群馬銀行、東邦銀行、福井銀行、滋賀銀行、Pegasus Tech Ventures、三越伊勢丹イノベーションズ、他2社）	
	10	競合から、特許侵害に関する訴状が届く	
	11	ミッション・ビジョン・バリュー・カルチャー（MVVC）が完成	
2017	5		改正銀行法が国会成立（2018年6月施行／金融機関のAPI公開の努力義務が課される）
	6	マネーフォワードケッサイ株式会社、「マネーフォワード ケッサイ」サービス提供開始	
	7	特許侵害訴訟で勝訴	
	9	東京証券取引所マザーズ市場へ上場	
	11	株式会社クラビスをグループ会社化	
	12	仮想通貨関連事業への参入を発表	
2018	1		コインチェック、仮想通貨流出事故
	7	港区芝浦に本社移転	
	7	株式会社ナレッジラボをグループ会社化	
	8	Money Forward Vietnam Co., Ltd.（100%子会社）設立	
	9		北海道胆振東部地震
	9		Zaif、仮想通貨流出事故
2019	4	仮想通貨交換事業への参入を延期	
	11	スマートキャンプ株式会社をグループ会社化	
2020	7	アントレプレナーファンド「HIRAC FUND」の運用開始	
	8	株式会社アール・アンド・エー・シーをグループ会社化	

創業間もない頃、
高田馬場のワンルームにて

2013年、
新機能リリースの瞬間

2013年11月、
クラウド会計リリース当日

2014年5月、
創業2周年のお祝い

2017年9月、
東証マザーズ市場上場

2019年5月、
創業7周年のお祝い

著者略歴

辻 庸介　つじ・ようすけ

1976年大阪府生まれ。2001年に京都大学農学部を卒業後、ソニー株式会社に入社。2004年にマネックス証券株式会社に参画。2011年ペンシルバニア大学ウォートン校MBA修了。2012年に株式会社マネーフォワードを設立し、2017年9月、東京証券取引所マザーズ市場に上場（2021年6月14日、東証一部に市場変更）。2018年2月「第4回日本ベンチャー大賞」にて審査委員会特別賞受賞。新経済連盟 幹事、シリコンバレー・ジャパン・プラットフォーム エグゼクティブ・コミッティー、経済同友会 第1期ノミネートメンバー。

失敗を語ろう。

「わからないことだらけ」を突き進んだ僕らが学んだこと

2021年6月28日　第1版第1刷発行
2024年6月20日　第1版第3刷発行

著　者　辻 庸介
発行者　中川ヒロミ
発　行　株式会社日経BP
発　売　株式会社日経BPマーケティング
〒105-8308　東京都港区虎ノ門4-3-12
https://bookplus.nikkei.com/
編　集　宮本沙織、中川ヒロミ
編集協力　宮本恵理子
装　丁　井上新八
カバー・帯写真　竹井俊晴
制　作　關根和彦（QuomodoDESIGN）
印刷・製本　中央精版印刷株式会社

ISBN978-4-296-00017-3
Printed in Japan